40 jeux de relaxation

pour les enfants de 5 à 12 ans

Méthode
Rejoue

Catalogage avant publication de Bibliothèque et Archives Canada

Nadeau, Micheline

40 jeux de relaxation pour les enfants de 5 à 12 ans

2e édition

(Collection Famille)
Publ. antérieurement sous le titre : 40 jeux de relaxation.

ISBN 2-7640-1029-X

1. Relaxation chez l'enfant. 2. Gestion du stress chez l'enfant. I. Titre. II. Titre :
Quarante jeux de relaxation pour les enfants de cinq à douze ans. III. Titre : 40 jeux
de relaxation. IV. Titre : Quarante jeux de relaxation. V. Collection : Collection
Famille (Éditions Quebecor).

RA785.N3 2005   613.7'92'083   C2005-941327-1

LES ÉDITIONS QUEBECOR
Une division de Éditions Quebecor Média inc.
7, chemin Bates
Outremont (Québec)
H2V 4V7
Tél. : (514) 270-1746
www.quebecoreditions.com

© 2005, Les Éditions Quebecor
Bibliothèque et Archives Canada

Éditeur : Jacques Simard
Conception de la couverture : Bernard Langlois
Illustration de la couverture : Photodisc
Correction d'épreuves : Jocelyne Cormier

Nous reconnaissons l'aide financière du gouvernement du Canada par l'entremise du
Programme d'Aide au Développement de l'Industrie de l'Édition pour nos activités
d'édition.

Gouvernement du Québec – Programme de crédit d'impôt pour l'édition de livres –
Gestion SODEC.

Imprimé au Canada

Micheline Nadeau

40 jeux
de relaxation
pour les enfants de 5 à 12 ans

Méthode
Rejoue

LES ÉDITIONS
Quebecor
■ QUEBECOR MEDIA ■

JOUER À LA VIE

Il y a un proverbe qui dit: «On n'arrête pas de jouer parce qu'on vieillit. On vieillit parce qu'on arrête de jouer.» Même si le fait de jouer ne déjoue pas la mort, serait-il possible que l'attitude ludique, naturelle chez les enfants, constitue un facteur important de santé et d'équilibre?

À cet égard, la méthode Rejoue, qui vous est présentée dans ce livre, m'apparaît particulièrement intéressante. Des jeux, nous en connaissons tous. Des jeux de relaxation, nous en connaissons beaucoup moins. Curieusement, la relaxation est encore perçue comme une activité un peu «flyée», pratiquée par des personnes spéciales ou gravement stressées. Et s'il s'agissait plutôt d'une activité parfaitement naturelle et accessible à tous, y compris aux enfants?

Les recherches scientifiques concernant la relaxation démontrent que le corps humain possède sa propre intelligence biologique. Il s'agit simplement de la comprendre. Nous savons maintenant que la simple intention de communiquer verbalement entraîne une augmentation de la tension musculaire dans les muscles des mâchoires, sollicités pour la parole. Il n'est alors pas étonnant de constater que les défis que nous vivons dans nos relations familiales ou nos activités professionnelles entraînent des tensions bien concrètes dans nos muscles. Il en est exactement de même pour les enfants qui ont leurs défis bien à eux. Il est alors intéressant de posséder des moyens qui permettent de relâcher cette tension.

Les professeurs sont unanimes: «Les enfants sont plus calmes après une activité physique et ils apprennent mieux.» Cela est parfaitement compréhensible, car la contraction musculaire entraîne par la suite un relâchement musculaire très agréable. Tous les sportifs le savent.

Les deux plus grands théoriciens de la relaxation sont sans contredit Jacobson et Schultz, qui ont donné leur nom à deux méthodes, largement utilisées partout dans le monde. La méthode de Jacobson nous propose d'apprendre à relaxer en contractant d'abord nos muscles pour les laisser se détendre par la suite. Ces exercices où alternent contraction et relâchement entraînent un apaisement du système nerveux et des muscles sollicités par nos activités quotidiennes. Pour sa part, la méthode de Schultz nous propose d'utiliser des images mentales qui favorisent en retour la détente physique. Je peux imaginer, par exemple, qu'une vague de la mer balaye mon corps progressivement des pieds à la tête en laissant chacun de mes membres en état de relaxation et de bien-être.

Ce qu'il y a de beau dans la méthode Rejoue, c'est que les exercices proposés respectent les connaissances scientifiques sur la relaxation, en nous invitant d'abord et avant tout à en faire l'expérience à travers des jeux amusants.

Cependant, les adultes qui utiliseront cette méthode doivent comprendre que l'état de relaxation ne se produit pas de façon magique. On ne peut guider une personne que sur un terrain que l'on connaît d'expérience. Précisons aussi qu'aucune méthode ne peut faire disparaître des problèmes de santé physique ou psychologique. Il sera toujours important de comprendre, d'une façon globale, les facteurs qui peuvent placer les enfants et les adultes en situation de tension.

Bon, assez de théorie pour le moment! C'est l'heure de «Rejouer». Nous savons tous qu'il faut un couple homme-femme pour donner la vie. En observant la nature, nous pourrons constater qu'il y a aussi des couples partout: soleil-lune, nuit-jour, chaud-froid, haut-bas, etc. Il en va exactement du même principe pour le corps humain: activité-repos, inspiration-expiration, tension-relaxation, etc. C'est la vie qui est constituée selon ce principe des forces complémentaires.

Observez la plupart des jeux proposés par la méthode Rejoue, en gardant en tête l'image d'un cœur qui bat. Le cœur se contracte pour diriger le sang vers les poumons où il sera oxygéné, et il se relâche pour se remplir de nouveau. Puis le cœur se contracte pour envoyer le sang dans le réseau sanguin afin de nourrir le corps. Et, de nouveau, il se relâche pour s'ouvrir et recevoir le sang qui fait son travail d'animateur de la vie, tout au long de notre existence. Si le cœur décidait tout à coup qu'il ne se détend plus? Il aurait un grave problème et nous aussi!

Observez le rythme proposé par les activités et les images de la méthode Rejoue: excitation-détente, être grand et fort et devenir tout petit et reposé, avoir froid jusqu'à grelotter et fondre de chaleur, toucher les étoiles et se laisser tomber sur la terre. En l'utilisant, vous verrez que la méthode Rejoue nous invite simplement à jouer à la vie.

Michel Pruneau, auteur
Conseiller pédagogique responsable
de l'École de santé holistique
du cégep Marie-Victorin

REMERCIEMENTS

Je tiens à remercier mes élèves qui ont participé à ces jeux de relaxation. Merci aussi à Lucie Nadeau et à Micheline Lambert, pour avoir expérimenté ces jeux avec leurs élèves respectifs, et à Nicole Vincent, pour les avoir expérimentés avec des gens de 50 ans et plus du mouvement Vie Active. Enfin, merci particulièrement à Michel Garant pour ses encouragements.

Apprendre à se relaxer,
c'est comme apprendre à lire:
une fois qu'on le sait,
on ne l'oublie jamais.

Micheline Nadeau
Éducatrice physique

Jouer à se relaxer,
cela augmente le plaisir
d'être enfant,
d'être calme,
d'être aimé!

Michel Garant
Poète

INTRODUCTION

Nous savons tous que les enfants aiment jouer, qu'ils aiment bouger. Nous savons tous également qu'ils ont besoin aussi, à un moment donné, de se calmer, de se reposer, de se relaxer... Utiliser le jeu pour obtenir le calme, voilà un plaisir pour les enfants! Et c'est ce que je vous propose dans ce livre à l'aide de 40 jeux de relaxation tirés de la méthode Rejoue.

Cette méthode, que j'ai créée et expérimentée avec mes élèves, est, comme vous le verrez, simple et amusante. De fait, pour amener les enfants à se détendre, il suffit de «rejouer» avec eux. Cela évite de passer abruptement d'une période de grande agitation, où les enfants courent, sautent, jouent en riant et en criant parfois, à une période de calme imposée, qui brise le rythme des enfants.

Par le jeu, vous pourrez faire connaître aux enfants — et surtout leur faire sentir — les effets bienfaisants de la relaxation. La détente augmente le calme, bien sûr, mais aussi elle améliore, entre autres, l'état de santé, favorise le goût de vivre et diminue le stress et l'inquiétude.

En apprenant ainsi aux enfants, dès leur bas âge, à se relaxer, vous leur donnez de saines habitudes de vie qu'ils n'oublieront jamais. Une fois qu'ils seront adolescents, puis adultes, ils sauront utiliser la relaxation pour diminuer la tension qu'entraîne leur vie mouvementée, et réagir calmement et efficacement à toutes sortes de situations.

L'objectif de ce livre est donc de rendre accessible à un plus grand nombre possible d'intervenants — éducatrices[1] en garderie ou à la maternelle, monitrices dans les camps de vacances et les terrains de jeux, gardiennes, enseignantes au primaire, professeures d'éducation physique, de danse ou de mouvements expressifs, animatrices de jeannettes ou de scouts, parents... — une méthode de relaxation par le jeu vraiment adaptée aux enfants.

Les 40 jeux qui suivent sont faciles à faire et abondamment illustrés. La présentation de chacun est divisée en trois sections: «Planification», «Description du jeu» et «Au jeu!». La deuxième section, dans laquelle on explique le jeu aux enfants, ne sera sans doute plus nécessaire lorsqu'ils auront fait plusieurs fois ce jeu. De plus, vous pourrez adapter les interventions auprès des jeunes selon leur environnement et leurs besoins particuliers, mais surtout selon leur âge. Chaque jeu dure en moyenne entre 3 et 7 minutes.

Enfin, je vous lance également une invitation à la relaxation, car qu'y a-t-il de mieux pour enseigner aux enfants à se détendre qu'un parent calme ou qu'une animatrice détendue?

---

1. Dans ce livre, nous employons le féminin pour les titres puisque ce sont surtout des femmes qui travaillent auprès des enfants. Toutefois, cet emploi n'a pour but que d'alléger le texte et ne se veut exclusif en aucune manière.

Première partie

QUELQUES NOTIONS
THÉORIQUES

La relaxation

La relaxation consiste à relâcher ses muscles par une technique ou une autre, à détendre à la fois son esprit et son corps. Elle permet en gros de diminuer la tension et de retrouver un équilibre, un bien-être.

Selon la technique employée, on peut relaxer certaines parties du corps, certains groupes de muscles, ou le corps en entier. (Nous verrons un peu plus loin différentes méthodes de relaxation.)

Quels sont ses effets?

Si vous avez déjà fait des exercices de relaxation ou profité de quelques minutes dans un sauna ou un bain à remous, vous connaissez d'ores et déjà les nombreux bienfaits physiques, psychologiques et émotifs que cela procure. Vous avez sans doute senti dans votre corps le plaisir de la détente ainsi que le sentiment de bien-être et l'état de calme psychologique qui en résultent. En fait, la relaxation est un outil vraiment efficace pour rétablir ou garder un état d'équilibre harmonieux.

Chez les enfants aussi, la relaxation sert à détendre l'organisme, à diminuer le stress musculaire et mental. Elle favorise également une meilleure qualité d'écoute, une plus grande participation et une réceptivité accrue. La relaxation aide à augmenter la confiance en soi, la mémoire et la concentration et permet ainsi d'améliorer la qualité de l'apprentissage.

Après une activité intellectuelle ou physique plus ou moins intense, la relaxation permet à l'enfant d'atteindre un état de bien-être, de calme et de concentration harmonieuse pour entreprendre sa prochaine activité (apprentissage d'une matière scolaire, musique, repas, retour à la maison, etc.).

La relaxation contribue aussi au développement de la latéralité; elle fournit ainsi à l'élève des repères spatiaux (horizontal, vertical, droite, gauche, en haut, en bas, devant, derrière) qui sont indispensables à la lecture et à l'écriture.

La relaxation canalise donc les énergies des enfants; elle ajuste le niveau d'activation et amène un bien-être global.

Des études ont démontré que la relaxation, en plus d'augmenter la performance dans les sports, aidait à vaincre la timidité, à apprendre plus facilement et à persévérer davantage dans tous genres d'activité. Elle favorisait même chez les gens très nerveux la «guérison» de tics et d'autres symptômes reliés à l'anxiété.

Dans son livre intitulé *Psychomotricité, relaxation et surdité*, Marie-Hélène Herzog, une psychomotricienne qui a travaillé auprès des enfants atteints de surdité, mentionne que la relaxation améliore le développement de la personnalité, la confiance en soi, la patience et l'équilibre. Selon elle, la relaxation aide aussi à assouplir la voix, à enrichir la sensibilité et procure un meilleur sommeil. Elle permet à l'enfant (et à l'adulte, bien sûr!) de prendre conscience de lui-même et de ses besoins. Elle améliore également la circulation sanguine, diminue l'angoisse, les états de panique et aide à enrayer le bégaiement.

Toujours selon madame Herzog, la détente aide à prendre goût à tout ce qui est relié au corps, par exemple la danse, le mime, l'expression corporelle, l'activité sportive, le dessin.

D'autres intervenants, dont Yvonne Berge qui enseigne la danse et l'expression corporelle, croient que la relaxation est bénéfique à l'enfant plus qu'à toute autre personne, sa faculté de concentration étant plus courte et son besoin de mouvement, plus grand. La détente favoriserait aussi le développement de la créativité, «l'instinct créateur contribuant à l'équilibre de la société et à la qualité de la vie[2].» De plus, la relaxation aide à manger plus lentement.

Enfin, chez les enfants qui souffrent de problèmes de santé, par exemple les asthmatiques, les épisodes de détente réguliers aident à prévenir les crises et à intervenir plus efficacement durant celles-ci.

------

2. Y. Berge, *Vivre son corps par la pédagogie du mouvement*, Paris, Éditions du Seuil, 1975, p. 126.

Qui peut utiliser ces jeux?

J'ai conçu la méthode Rejoue spécialement pour les enfants âgés de 5 à 12 ans. Les 40 jeux que vous trouverez dans la deuxième partie de ce livre sont donc bien adaptés à leurs besoins.

Toutefois, les adolescents et les adultes, jeunes et moins jeunes, peuvent également utiliser ces jeux dans différentes situations, par exemple après une partie de volley-ball ou une marche active, à la suite d'une chasse au trésor ou d'une lecture concentrée. Ils peuvent aussi s'en servir, entre autres, dans les clubs de vacances, les auberges de jeunesse et les camps d'entraînement sportif.

Combien de temps durent ces jeux?

Chaque jeu de relaxation (l'explication du jeu y comprise) dure en moyenne entre 3 et 7 minutes. En fait, le temps varie selon les besoins des enfants et leur personnalité, selon les circonstances et le temps disponible. Par exemple, durant un même jeu, un enfant peut avoir besoin d'à peine 10 secondes pour arriver à se détendre, tandis qu'il faudra à un autre au moins 3 minutes pour se calmer. Il est important de respecter chacun dans son tempérament et son vécu. Chaque enfant doit avoir le temps dont il a besoin pour se détendre.

À mesure que vous ferez ces jeux de relaxation avec les enfants, le temps qu'ils prendront pour arriver à un état de relaxation diminuera. Après quelques répétitions, ils arriveront à se détendre en peu de temps, les effets de la relaxation s'inscrivant peu à peu dans leur corps.

À quelle fréquence doit-on faire ces jeux?

Idéalement, nous devrions accorder à notre corps, à tout notre être en fait, une séance de relaxation d'environ 20 minutes par jour. Chez les enfants, il convient de morceler cette séance en plusieurs courtes périodes.

Au cours d'une journée entière, nous pouvons faire jusqu'à quatre ou cinq jeux, selon l'âge des enfants et les autres activités au programme. Au début, il est important d'utiliser les jeux de manière routinière afin que les enfants puissent se familiariser avec eux rapidement et que leur corps s'y adapte. Par exemple, le fait de toujours inclure cinq minutes de relaxation sous forme de jeu après une activité précise permet à l'enfant de se détendre de plus en plus facilement et de savoir à l'avance qu'il fera assurément un jeu de relaxation à la fin de cette période. C'est une façon rassurante de l'initier à la détente.

Où utiliser la méthode Rejoue?

Partout! L'idéal est d'utiliser une surface dure comme le sol, puisque les muscles peuvent se relâcher plus aisément et laisser tomber leurs tensions. Sur une surface molle, un lit par exemple, la colonne vertébrale peut plus facilement épouser une mauvaise posture.

En fait, la règle est la suivante: lorsque la surface est plus dure que nos muscles, ces derniers peuvent «céder», se laisser aller, donc se détendre; au contraire, sur une surface molle, ce sont nos muscles qui sont les plus durs et qui «soutiennent» les tensions. Toutefois, un petit matelas mince (un tapis d'exercice, par exemple) n'est pas considéré comme une surface molle; il contribue surtout à couper le froid du sol.

Mais on peut aussi très bien effectuer un jeu de relaxation en position debout ou assis sur une chaise. L'important, dans le fond, c'est d'apprendre à se détendre. L'avantage de telles positions, c'est qu'elles permettent à l'enfant d'apprendre à se relaxer en toute situation, ce qu'il pourra répéter par lui-même plus tard, quel que soit l'endroit où il se trouvera.

Si vous désirez faire ces jeux de relaxation avec un groupe d'une trentaine d'enfants, que ce soit au gymnase, à la garderie, en salle de danse ou en plein air, délimitez un espace ayant à peu près les dimensions d'un terrain de volley-ball (environ 18 m x 9 m) ou de badminton (environ 13 m x 6 m), selon le jeu choisi. Chaque enfant doit avoir l'espace nécessaire pour faire ses gestes avec aisance sans toucher à son voisin ou à sa voisine, mais il doit être suffisamment près de vous pour entendre sans difficulté les consignes à mesure que le jeu se déroule.

Cependant, si un, deux ou trois enfants sortent des limites tracées, par exemple s'ils se déplacent un peu derrière vous, soyez tolérante. L'important, c'est qu'ils se détendent sans déranger les autres.

Quand utiliser ces jeux?

Servez-vous de la méthode Rejoue chaque fois que vous le jugerez nécessaire, c'est-à-dire chaque fois que vous jugerez avantageux d'obtenir le calme ou de s'amuser grâce à un jeu de relaxation.

Ces 40 jeux sont utiles en toute occasion. Ils sont bénéfiques avant ou après une activité physique ou mentale plus ou moins intense. On peut même les inclure à l'intérieur d'une autre activité, pour rétablir le calme ou pour augmenter la concentration.

En éducation physique, nous faisons un jeu de relaxation à la fin de chaque cours. En garderie, on peut faire un jeu avant la collation ou le repas, par exemple. Au cours de ballet, on peut insérer un jeu entre deux séances techniques.

À la maison, les usages sont aussi multiples. On peut faire ces jeux avant les repas ou d'aller au lit, quand la petite sœur ou le petit frère est tannant, quand les enfants sont fatigués, agités ou lorsque les parents sont stressés... Maman ou papa peuvent aussi s'en servir quand bébé fait dodo, quand un des parents parle au téléphone, enfin, chaque fois qu'ils sentent le besoin de ramener le calme...

Les enfants suggéreront sans doute au fur et à mesure des moments pour faire ces jeux! Après avoir fait plusieurs jeux avec les enfants, je vous recommande de prendre quelques instants avec eux pour trouver ensemble d'autres moments où il serait bon de se relaxer ainsi.

Des trucs pour bien réussir

Dans les pages qui suivent, vous trouverez plusieurs techniques et conseils pour effectuer ces jeux dans différentes situations. Pour commencer, voici quelques techniques couramment employées dans les exercices de relaxation. Suivront ensuite divers conseils pour vous aider à bien diriger ces séances.

Quelques techniques de relaxation

Voici six techniques de base que vous retrouverez sous diverses formes dans les jeux de la méthode Rejoue.

• *Contraction-relâchement*: cette technique consiste tout simplement à contracter un muscle ou plus souvent un groupe de muscles pendant quelques secondes, puis à relâcher la contraction progressivement. Cette contraction maximale permet de bien sentir le relâchement du groupe musculaire visé. C'est la technique qui est employée dans la méthode de Jacobson (voir à la page 197).

• *Balancement*: cette technique consiste à imiter le mouvement d'un balancier, d'une balançoire. Il s'agit d'exécuter un mouvement de va-et-vient de l'avant vers l'arrière ou de droite à gauche. La partie du corps en relâchement (par exemple, un bras, une jambe, la tête, le haut du corps) doit être détendue, molle, en ballottement.

• *Étirement-relâchement*: cette technique consiste à étirer progressivement une partie du corps, à l'allonger le plus loin possible. On doit tenir cette position pendant quelques secondes, puis relâcher doucement cette partie du corps. Il est important de relâcher doucement, de laisser tomber en glissant sans donner de coup. Ensuite, on balance légèrement cette partie du corps.

• *Affaissement*: cette technique consiste à laisser agir la gravité sur le corps. Ainsi, après avoir soulevé une partie du corps, on la laisse tomber lentement en glissant (sans donner de coup). On fait reposer cette partie pendant quelques secondes, puis on répète le mouvement deux ou trois fois.

• *Secouement*: cette technique consiste à agiter plus ou moins fortement une ou plusieurs parties du corps, de manière répétée.

• *Immobilisation*: cette technique consiste tout simplement à adopter une position immobile, à arrêter tous les mouvements.

Des conseils généraux

Voici plusieurs conseils pour faciliter vos séances de relaxation.

• D'abord, il est important que vous sachiez que les enfants apprennent surtout par l'exemple. Donc, soyez calme et détendue. Une personne calme peut calmer les autres. C'est pourquoi je vous conseille fortement de faire quelques jeux ou exercices de relaxation (voir à la page 35) vous-même. Vous constaterez vite les bienfaits de la détente quotidienne. Il vous sera aussi plus facile d'expliquer les jeux aux enfants et de comprendre ce qu'ils ressentent.

• Quand vous faites ces jeux, utilisez une voix calme, tout en respectant quelques moments de silence pour permettre aux enfants de sentir leur corps, leurs muscles, la détente.

• Lorsque vous commencez à enseigner cette méthode, employez de préférence des jeux où l'attention est portée sur le repos et le silence.

• Il arrive fréquemment qu'un ou deux enfants se mettent à rire durant la séance. Laissez-les faire pendant quelques secondes; peut-être arrêteront-ils d'eux-mêmes. Sinon, rappelez-leur tout simplement et calmement que ce jeu se fait en silence. La plupart du temps, les rires cessent rapidement, d'abord parce que les enfants sentent le silence autour d'eux, ensuite parce qu'ils sentent leurs muscles qui se relâchent doucement et à quel point cela est agréable. Si les rires dérangent et n'en finissent plus, je vous suggère de retirer l'enfant (ou les enfants) du groupe pour les trois ou quatre minutes qui restent.

• Prenez le temps qu'il faut pour faire la séance de relaxation. Faites exécuter les mouvements lentement afin que chaque enfant sente bien son corps et ses muscles. Ne vous laissez pas bousculer par le temps. Raccourcissez plutôt le jeu en coupant certaines répétitions. En cherchant à aller vite, on ralentit le moment d'arrivée de la détente.

• Respectez le rythme de chacun et chacune.

• Félicitez les participants et les participantes qui font de beaux efforts et ceux qui réussissent bien le jeu. Ce sont des paroles encourageantes qui motivent et aident les enfants à réussir et à apprécier davantage les séances de relaxation.

• Certains enfants peuvent craindre de fermer les yeux durant les jeux de relaxation, peut-être parce qu'ils sont étonnés de se retrouver seuls dans leur corps ou parce qu'ils ont besoin de plus de contact avec les autres. Pendant les jeux, ne les forcez donc pas à fermer les yeux; ils le feront d'eux-mêmes quand ils seront prêts, quand ils seront plus confiants.

• Avant de commencer un jeu, dites nettement que les enfants qui ne veulent pas jouer ne sont pas obligés de le faire. Par exemple, ils peuvent aller s'asseoir sur un banc en silence. L'important, c'est qu'ils ne dérangent pas ceux et celles qui veulent jouer. Mentionnez également que l'enfant peut changer d'idée en cours de jeu; il n'a alors qu'à venir s'installer près des autres et à continuer là où vous en êtes. On peut proposer aux enfants une détente, une relaxation, mais on ne peut la leur imposer.

• Ne forcez jamais un enfant à faire un geste, ou un jeu. Quand il sera prêt, il viendra rejoindre le groupe de son plein gré. Laissez-lui le temps d'observer, même s'il persiste pendant deux ou trois semaines. D'ailleurs, peut-être commencera-t-il par exercer ces jeux seul dans sa chambre avant de les faire en groupe.

• Dès la deuxième ou la troisième fois que vous ferez un jeu de relaxation, vous sentirez une nette différence dans le comportement des enfants, tant en ce qui a trait à la compréhension des consignes en début de jeu qu'au respect des enfants entre eux et à la détente obtenue.

• Répétez le même jeu de relaxation plusieurs fois (pendant trois, quatre ou cinq jours de suite, selon le jeu) afin que chaque enfant se sente à l'aise, qu'il réussisse bien et qu'il s'en souvienne dans les moments où il en a besoin personnellement. De plus, cette répétition permettra à l'enfant de se sentir rassuré, psychologiquement et physiquement, durant la détente.

• Chaque séance de relaxation est une séance de détente, de bien-être. C'est vous l'adulte, et c'est vous qui jugez lorsqu'il est nécessaire de faire un jeu de relaxation. N'allez surtout pas crier des menaces du genre «Si vous continuez à être tannants comme ça, on va faire de la relaxation!». Ce serait désastreux. Et les enfants n'auraient pas le goût de se calmer ni de se détendre. Prenez plutôt une bonne respiration et annoncez-leur tranquillement le jeu de relaxation que vous avez choisi. Dans ces situations, optez autant que faire se peut pour un jeu qu'ils ont déjà expérimenté.

• N'hésitez pas à refaire un jeu connu.

• Rappelez-vous toujours que les enfants aiment jouer.

• Ne punissez pas un groupe d'enfants parce qu'ils sont plus agités que d'habitude ou que la norme. Donnez plutôt aux enfants le temps de se calmer en faisant un jeu de relaxation.

• Osez! Au début, l'enseignement de ces jeux sera une activité de plus à l'horaire. Peut-être cela vous demandera-t-il un certain effort mais, après peu de temps, cela deviendra une routine. Ce sont même les enfants qui demanderont de faire ces jeux de relaxation puisqu'ils seront conscients du bien qu'ils leur procurent, qu'ils l'auront ressenti.

• Au besoin, n'hésitez pas à modifier les jeux de façon à vous sentir à l'aise avec les explications données et les termes employés. Le message sera ainsi mieux perçu que si vous vous sentez mal à l'aise d'utiliser les phrases proposées dans ce livre.

• Inventez vos propres jeux.

• Invitez les enfants à inventer des jeux.

• Une fois que les enfants connaîtront trois ou quatre jeux, invitez un enfant à choisir le jeu de relaxation de la journée (ou de la période). Au besoin, nommez-lui les jeux pour l'aider à s'en souvenir. Les enfants aiment participer.

• La meilleure façon de se relever lorsqu'on est étendu sur le dos, c'est de rouler lentement sur le côté, puis de prendre appui sur les mains et sur les genoux tout en gardant la tête penchée. À la toute fin, on relève la tête.

• Les enfants de dix ans et plus peuvent tenir un cahier de bord et y écrire tout ce qu'ils ressentent (chaleur, froid, picotement, pesanteur, légèreté, impression de la durée du temps...) afin de mieux comprendre ce qu'ils ressentent, de mieux percevoir, de mieux se connaître.

• Si vous utilisez ces jeux avec un enfant sourd, servez-vous de votre regard apaisant pour l'aider à se détendre.

• Ne jugez pas de la manière de relaxer d'un enfant. Chacun et chacune peut se détendre à sa manière et en tirer profit à sa façon.

• Tout enfant se sent rassuré de constater qu'il est capable de se détendre.

• Lorsque vous travaillez avec des malentendants ou des allophones, il est fort utile d'employer des images ou des pictogrammes pour représenter les mots clés du jeu.

• Dans les jeux où les enfants se déplacent beaucoup, faites votre signal de rassemblement (taper des mains, sifflet, tambourin) au moment où vous voyez que les enfants reviennent près de vous.

• La meilleure façon de se relever lorsqu'on est assis au sol, c'est de rouler lentement sur le côté et de prendre appui sur une main et sur les genoux tout en gardant la tête penchée. On poursuit le roulement tout en se relevant. On relève doucement la tête à la toute fin seulement.

• «Le jeu constitue une façon sécurisante de rencontrer l'inconnu et la nouveauté.» (Bernèche, 1992-1993)

Des conseils pour aider les enfants agités

Durant les jeux de relaxation, on se demande souvent comment agir avec les enfants qui sont agités ou qui dérangent le groupe d'une façon ou d'une autre. Faut-il intervenir rapidement? sortir les enfants de la salle? les ignorer? Pour vous aider à mieux gérer cette situation, voici quelques points de repère.

• Sachez d'abord que ce genre de situation se produit souvent lorsqu'on enseigne un nouveau jeu de relaxation ou au tout début d'un jeu. Certains enfants sentent le besoin d'exprimer de différentes façons leur gêne ou leur anxiété devant la nouveauté: ils rient, bougent sans cesse, font des blagues. D'autres réagissent ainsi par peur d'être jugés, voire ridiculisés par rapport à une activité d'intériorisation. La plupart du temps, après quelques séances de relaxation, les enfants se sentent plus à l'aise et cessent de perturber le groupe.

• Lorsque vous commencez à faire des jeux de relaxation avec les enfants, prenez le temps de les rassurer. Expliquez-leur qu'il est important de se détendre et de se calmer après avoir bien couru, sauté, bougé, étudié. Dites-leur qu'ils se sentiront bien pour entreprendre leur prochaine activité (cours, repas, sport, retour à la maison, jeu, etc.) et que c'est pour cette raison que vous faites de la relaxation ensemble.

• Mentionnez-leur aussi que la relaxation, c'est du chacun pour soi. Encore une fois, rassurez-les en leur affirmant qu'ils peuvent s'installer de manière à être bien, et que leur façon de faire ne concerne personne d'autre qu'eux. Ce n'est pas l'affaire du voisin ou de la voisine.

• Dites-leur également qu'ils ne sont pas obligés de fermer les yeux. Quand ils seront prêts à les fermer, ils le feront.

• Félicitez les enfants qui font de leur mieux afin de les encourager à continuer la détente.

• Ignorez ceux et celles qui bougent ou qui font un peu de bruit.

• Isolez calmement ceux et celles qui exagèrent. Ils sont probablement trop angoissés pour faire ces jeux facilement. Avec eux, il faut aller plus loin qu'une simple séance de relaxation et chercher l'origine de cette angoisse. Une relaxation plus technique, par exemple une version adaptée de la méthode de Jacobson (voir l'exemple à la page 197) pourrait leur convenir.

• Les enfants qui se développent lentement ou qui ont peu d'équilibre (ils sont maladroits, tombent souvent, entrent en collision avec les autres, etc.) ou encore qui connaissent des problèmes de coordination oculo-manuelle (petits objets, ciseaux, etc.) sont souvent hyperactifs, agressifs ou anxieux à cause de l'image négative qu'ils ont d'eux-mêmes. Au cours de différents jeux, regardez-les marcher, courir, sauter et grimper... Observez leur équilibre. S'ils ont de la difficulté, portez-leur une attention particulière pendant les jeux de relaxation en les rassurant, en les félicitant, en les encourageant. Cela les aidera à se sentir bien, capables, compétents. Leur estime de soi grandira, puisqu'ils deviendront moins anxieux, moins agressifs, plus joyeux et plus heureux.

La respiration, un élément essentiel

La respiration est un facteur important dans toute séance de relaxation. L'expiration permet de sortir l'air du corps et de rejeter le gaz carbonique. L'inspiration permet de faire le plein d'air, d'absorber l'oxygène dont nos cellules ont besoin. Une bonne respiration aide à contrôler le stress, la peur, la douleur et même la violence. Cela favorise aussi la diminution des étourdissements et des maux de tête.

• Dans les jeux que je vous propose, demandez aux enfants d'expirer d'abord pour nettoyer les poumons de leur air et laisser la place à l'air frais. Expliquez-leur que quand nous expirons, l'air sort de notre corps et notre ventre devient plat ou se creuse.

• Demandez-leur ensuite de bien inspirer. Dites-leur que quand on inspire, l'air entre dans notre corps et notre ventre se gonfle.

• Ensuite, lorsqu'ils sont rendus à la détente, mentionnez-leur que la respiration se fait correctement d'elle-même quand le corps est détendu.

• Généralement, durant ces jeux, expirez par la bouche et inspirez par le nez, sans forcer.

• Rappelez parfois aux enfants que la respiration nous aide à nous calmer dans les moments de stress: on prend alors une grande inspiration et on relâche l'air dans un grand soupir. On peut aussi faire de grands bâillements et laisser aller des soupirs. Voilà qui fait du bien! Une grande respiration de la sorte nous aide à nous détendre, à être plus ouverts, plus calmes et plus lucides.

Un mot sur la concentration

La concentration, tout comme la respiration, est essentielle à une séance de relaxation réussie. Elle consiste tout simplement à fixer son attention, plus ou moins longtemps, sur un objet, sur un muscle ou un groupe de muscles, ou encore sur une idée.

La concentration, c'est aussi amener son regard, ses pensées ou ses sensations sur un objet et de l'y garder. En fait, c'est un peu de tout réunir en un seul endroit pour une période plus ou moins longue.

Au cours des jeux de relaxation que je vous propose, invitez les enfants à porter attention aux muscles de leur corps, donc à se concentrer sur ceux-ci.

Un dernier conseil : riez !

Plusieurs études récentes ont démontré que le rire avait des vertus préventives et curatives diverses. En plus de favoriser un meilleur équilibre mental, des relations plus harmonieuses et de réduire la tension, le rire constitue un excellent exercice musculaire et pulmonaire. En outre, il ralentit le rythme cardiaque et en régularise les battements, il combat l'anxiété et la dépression et aide à éliminer le stress. Et même, il colore le teint !

Lorsque les enfants font des jeux de relaxation, le rire les aide à se libérer de la gêne, de l'anxiété. Il leur permet de laisser aller le trop-plein d'émotions. Laissez-les donc rire un bon coup s'ils le veulent au début des jeux.

«Par le rire et par le jeu, on arrive à refaire le plein d'énergie.» (Extrait tiré de la revue *Réunion*, 1998, p. 27)

Deuxième partie

40 JEUX DE RELAXATION

Comme ce livre s'adresse à un public vaste qui n'a pas nécessairement de formation en pédagogie, j'ai choisi de vous présenter les jeux étape par étape. Vous trouverez donc dans les pages qui suivent trois sections pour chaque jeu.

La première, «Planification», vous renseigne sur l'objectif du jeu, qui est axé sur la technique de relaxation employée. Vous y trouverez également une description sommaire du jeu ainsi que l'espace à prévoir pour que chaque enfant puisse bouger à son aise.

La deuxième section, «Description du jeu», vous montre comment expliquer le jeu aux enfants étape par étape. Bien sûr, vous pouvez adapter les paroles suggérées selon l'âge des enfants et votre expérience avec eux. Lorsque vous aurez fait le jeu quelques fois avec eux, cette section sera sans doute inutile.

La troisième section, «Au jeu!», vous guide pas à pas dans le déroulement de la séance. Encore une fois, vous pourrez adapter les phrases selon l'âge des enfants et selon votre goût. Pour terminer les jeux, j'ai parfois mis des suggestions qui seront utiles pour les groupes d'élèves ou en garderie. L'important, c'est de terminer le jeu doucement en respectant le rythme des enfants et de les diriger vers la prochaine activité.

L'AVION

Planification

Objectif: Amener l'enfant à un état de détente par une position allongée et immobile.

Activité: Chaque enfant imite l'avion au décollage, en vol et à l'atterrissage.

Préparation: Prévoir assez d'espace pour que chaque enfant puisse courir et s'allonger au sol sans toucher à son voisin ni à sa voisine. Par exemple, pour un groupe d'une trentaine d'enfants, délimiter un espace ayant environ les dimensions d'un terrain de badminton (13 m x 6 m). Si possible, tamiser l'éclairage au moment de l'atterrissage.

Description du jeu

L'animatrice explique le jeu aux enfants en mimant les mouvements au besoin:

- Nous allons jouer à l'avion.

- Qu'est-ce qu'un avion? (Réponse: c'est un appareil qui a des ailes et qui vole.) Est-ce qu'un avion a des roues? (Réponse: oui; l'avion sort ses roues au moment de l'atterrissage.) Est-ce que ça va vite, un avion? (Réponse: au début, ça décolle lentement et après, ça va vite.)

- Maintenant, je t'explique le jeu. Toi, tu écoutes et tu regardes. Ensuite, nous ferons le jeu ensemble.

• Quand je vais dire «Tous les passagers sont priés de boucler leur ceinture de sécurité», toi, tu vas faire le pilote qui boucle sa ceinture.

• Puis, je vais faire le décompte pour le décollage: «Cinq, quatre, trois, deux, un… décollage!» À ce moment-là, tu te transformeras en avion et tu décolleras.

• Tu pourras faire les ailes avec tes bras. Tu pourras te pencher sur le côté quand tu tourneras. Et tu pourras aller vite.

• Quand je vais siffler (ou taper trois fois des mains), tu ralentiras, tu sortiras tes roues en pliant tes genoux vers le sol, puis tu atterriras. Ensuite, tu t'allongeras sur le ventre, comme un avion qui reste au sol.

• Quand je verrai que ton avion est bien arrêté, qu'il ne bouge plus, je toucherai le bout de ton pied avec ma main. Cela indiquera que la porte s'ouvre et que tous les passagers peuvent descendre.

• Tu pourras à ton tour aller toucher le pied d'un ou d'une camarade avant d'aller prendre ton rang (ou de te diriger vers ta prochaine activité).

• Qui peut me dire ce qu'est un passager? (Réponse: une personne qui voyage à bord de l'avion.)

Au jeu!

L'animatrice guide les enfants au fur et à mesure:

• Tous les passagers sont priés de boucler leur ceinture de sécurité.

• Cinq, quatre, trois, deux, un... décollage!

• Tu te transformes en avion et tu décolles.

• Tu peux faire les ailes avec tes bras. Tu peux pencher sur le côté quand tu tournes. Tu peux aller vite. (Laisser les enfants imiter l'avion pendant quelques secondes.)

• (Coup de sifflet) L'avion atterrit.

• Tu ralentis, puis tu sors tes roues en pliant tes genoux vers le sol.

• Maintenant, tu t'allonges sur le ventre, au sol, comme un avion qui atterrit.

• Quand je vais voir que ton avion est bien arrêté, qu'il ne bouge plus, je vais toucher le bout de ton pied avec ma main. Cela indique que la porte s'ouvre et que tous les passagers peuvent descendre.

• Lorsque je t'aurai touché, tu pourras, toi aussi, aller toucher le pied d'un ami avant d'aller prendre ton rang (ou de te diriger vers ta prochaine activité).

L'AVION

toucher

Remarques

Il est bon de mentionner, lorsque l'occasion se présente, que pour éviter les accidents, les enfants ne doivent pas se toucher. On peut aussi:

• demander aux moteurs de gronder au moment du décompte avant le décollage;

• déterminer une ligne en guise de piste d'atterrissage;

• effectuer deux ou trois voyages durant la même séance;

• demander à un enfant de mentionner dans quel pays se fera le prochain voyage.

LE BALLON

Planification

Objectif: Amener l'enfant à se détendre en utilisant l'expiration et l'inspiration.

Activité: Chaque enfant devient un ballon qui se gonfle et se dégonfle.

Préparation: Prévoir assez d'espace pour que chaque enfant debout puisse placer ses bras à l'horizontale sans toucher une voisine ou un voisin. Par exemple, pour un groupe d'une trentaine d'enfants, délimiter un espace ayant environ les dimensions d'un terrain de volley-ball (18 m x 9 m). Si possible, tamiser l'éclairage.

Description du jeu

L'animatrice explique le jeu aux enfants en mimant les mouvements au besoin:

- Nous allons jouer au ballon.

- Je commence par t'expliquer le jeu. Toi, tu écoutes et tu regardes. Ensuite, nous ferons le jeu ensemble.

- Dans ce jeu, tu deviens un ballon qui se gonfle et se dégonfle.

- Moi, j'ai une pompe à air dans les mains (faire semblant de «pomper l'air» avec les mains ou utiliser un objet qui lui ressemble). Lorsque je pomperai l'air, tu te gonfleras comme un ballon: tu rempliras tes poumons d'air en faisant un gros ventre et en levant tes bras de chaque côté de ton corps.

• Quand je te l'indiquerai, tu mettras tes mains sur ton ventre et tu laisseras sortir l'air du ballon. Tu expireras l'air de ta bouche doucement en replaçant tes bras le long de ton corps.

Au jeu!

L'animatrice guide les enfants au fur et à mesure:

• Tout le monde se place debout assez loin de ses voisins pour pouvoir lever les deux bras sans toucher aux autres.

• Tu es maintenant un ballon.

• Qu'est-ce qu'il y a dans un ballon? (Réponse: de l'air.)

• Quand l'air sort d'un ballon, qu'est-ce que ça fait? (Réponse: le ballon se dégonfle.)

• J'actionne la pompe à air (faire l'action) et toi, tu te gonfles comme un ballon.

• Remplis tes poumons d'air en faisant un gros ventre et en levant les bras de chaque côté de ton corps.

• Tu deviens gros, gros, gros, comme un ballon gonflé d'air.

• Tu peux monter sur le bout de tes pieds. (Attendre trois ou quatre secondes.)

• Mets tes mains sur ton ventre pour laisser sortir l'air comme un ballon qui se dégonfle. Tu expires par la bouche.

• Ton ventre devient plat comme un ballon dégonflé.

• Tu bouges dans tous les sens comme un ballon dégonflé.

(Gonfler et dégonfler le ballon de deux à quatre fois.)

• La dernière fois, tu dégonfles ton ballon jusqu'à ce qu'il soit bien à plat. (Vérifier que tous les ballons sont bien dégonflés.)

• Maintenant, tu te couches au sol. Tes bras et tes jambes sont complètement dégonflés, eux aussi. Tu te reposes un peu.

• Lorsque je te nomme, tu peux te lever calmement et te diriger vers la prochaine activité. Si tu préfères, tu peux continuer à te reposer un peu.

LE BALLON

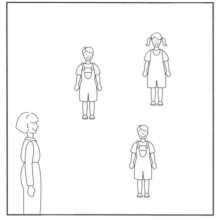

pompe = gonfler

mains sur ventre = dégonfle

pompe = gonfler

mains sur ventre = dégonfle   dégonfle à plat

Remarque

Après quelques fois, les enfants peuvent se placer deux par deux et faire ce jeu ensemble. Un joueur ou une joueuse actionne la pompe, alors que l'autre fait le ballon qui se gonfle. Après trois ou quatre secondes, le ou la «pompiste» place *doucement* ses mains sur la tête de l'autre, qui se dégonfle. Les enfants refont la même chose trois ou quatre fois, puis ils changent de rôle.

LA CHAISE BERÇANTE

Planification

Objectif: Amener l'enfant à un état de calme par des mouvements de balancement.

Activité: Chaque enfant se berce en mimant le mouvement d'une chaise berçante et fait semblant de dormir.

Préparation: Prévoir assez d'espace pour que chaque enfant puisse s'asseoir (ou se coucher) et se bercer sans toucher à son voisin ou à sa voisine. Pour un groupe d'une trentaine d'enfants, délimiter un espace dont les dimensions correspondent à peu près à celles d'un terrain de badminton (13 m x 6 m). Si possible, tamiser l'éclairage.

Description du jeu

L'animatrice explique le jeu aux enfants en mimant les mouvements au besoin:

- Nous allons jouer à la chaise berçante.

- Je commence par t'expliquer le jeu. Toi, tu écoutes et tu regardes. Ensuite, nous ferons le jeu ensemble.

- Dans ce jeu, tu deviens une chaise berçante et tu balances ton corps doucement, comme on fait quand on se berce.

• À un moment donné, quand tu le voudras, tu feras semblant que tu commences à t'endormir et tu arrêteras de te bercer.

• Quand je verrai que tu fais bien semblant de dormir, que tu es tout détendu, un petit papillon viendra se poser sur ton épaule pour te réveiller. C'est moi qui ferai le petit papillon avec ma main.

Au jeu!

L'animatrice guide les enfants au fur et à mesure:

• Choisis-toi une place et assois-toi.

• Maintenant, tu fais comme si tu étais une chaise berçante: tu plies tes jambes et tu balances doucement ton corps de l'avant vers l'arrière et de l'arrière vers l'avant.

• Tu te berces tout doucement. (Laisser les enfants se bercer pendant quelques instants.)

• Quand tu le décides, tu fais semblant que tu t'endors. Alors, tu arrêtes de te bercer et tu te reposes. Tu peux faire semblant de dormir les yeux ouverts. C'est toi qui décides.

• Quand je vois que tu te reposes, que tu fais bien semblant de dormir, que tu ne bouges plus, j'envoie un petit papillon se poser sur ton épaule. Le petit papillon, c'est moi qui le fais avec ma main. Quand le papillon se pose sur ton épaule, tu te réveilles doucement.

• Une fois que tu es réveillé, tu peux te promener lentement et revenir t'asseoir à ta place ou tu peux continuer à te reposer.

• (Facultatif) Lorsque je jouerai du tambourin (ou de la flûte, etc.; l'animatrice peut aussi taper des mains ou allumer les lumières), tout le monde se lève car le jeu est terminé.

LA CHAISE BERÇANTE

assis

balancer

repos

papillon = main sur l'épaule

Remarque

Voici quelques variantes à ce jeu: les enfants peuvent aussi se coucher pour mimer la berceuse. Dans ce cas, ils ramènent les cuisses sur leur ventre et les tiennent doucement en place à l'aide de leurs bras. Ils peuvent également utiliser la position debout. De plus, le mouvement de va-et-vient peut se faire d'un côté à l'autre.

LA CHANDELLE

Planification

Objectif: Amener l'enfant à se délasser en adoptant une position stable.

Activité: Chaque enfant, en position couchée, imite une chandelle en élevant ses jambes.

Préparation: Prévoir assez d'espace pour que chaque enfant puisse s'allonger sans toucher à son voisin ou à sa voisine. Par exemple, pour un groupe d'une trentaine d'enfants, délimiter un espace ayant environ les dimensions d'un terrain de volley-ball (18 m x 9 m). Les enfants sont placés en cercle. Certains peuvent choisir de s'étendre à l'intérieur de ce cercle. Si possible, tamiser l'éclairage.

Description du jeu

L'animatrice explique le jeu aux enfants en mimant les mouvements au besoin:

- Nous allons jouer à la chandelle.

- Je commence par t'expliquer le jeu. Toi, tu écoutes et tu regardes. Ensuite, nous ferons le jeu ensemble.

- Au début, tu te couches sur le dos. Ensuite, quand je dirai «chandelle», tu lèveras tes jambes vers le haut pour imiter une chandelle.

- Quand je verrai que ta chandelle est belle, j'irai l'allumer en te touchant les pieds.

- Une fois que ta chandelle sera allumée, tu pourras te lever et aller allumer la chandelle de quelqu'un d'autre.

- Puis, tu retourneras à ta place.

Au jeu!

L'animatrice guide les enfants au fur et à mesure:

- Nous allons former un grand cercle.

- Maintenant, couche-toi sur le dos. Assure-toi que tu as suffisamment d'espace pour t'allonger sans toucher à ton voisin ou à ta voisine.

- Allonge tes bras près de ton corps et place tes jambes bien droites au sol.

- Chandelle! Tu lèves doucement tes jambes vers le haut en gardant tes épaules bien au sol. Tu peux soutenir tes jambes en plaçant tes mains sur le haut de tes fesses. Tu peux aussi garder tes bras allongés près de toi. C'est toi qui décides.

- Quand je vois que ta chandelle est belle, je viens l'allumer en touchant doucement tes pieds.

• Une fois que ta chandelle est allumée, tu peux te lever et, à ton tour, aller allumer la chandelle de quelqu'un d'autre.

• Ensuite, tu reviens à ta place et tu te reposes.

LA CHANDELLE

toucher = allumer

LE CHAT-LION

Planification

Objectif: Amener les enfants à un état de relaxation en faisant des mouvements de contraction et de relâchement.

Activité: Chaque enfant imite tour à tour l'attitude féroce du lion et celle, plus douce et calme, du chat.

Préparation: Prévoir assez d'espace pour que les enfants puissent bouger à leur aise. Par exemple, pour un groupe d'une trentaine d'enfants, réserver un espace ayant environ les dimensions d'un terrain de volley-ball (18 m x 9 m). Si possible, tamiser l'éclairage.

Description du jeu

L'animatrice explique le jeu aux enfants en mimant les mouvements au besoin:

• Nous allons jouer au chat-lion.

• Je commence par t'expliquer le jeu. Toi, tu écoutes et tu regardes. Ensuite, nous ferons le jeu ensemble.

• Au début du jeu, tu bouges comme tu le veux: tu peux courir, faire du jogging, danser, sauter sur un pied...

• Ensuite, avec ma main, je t'indiquerai si tu fais le chat ou le lion.

• Quand je lèverai mon bras, la main fermée, tu te mettras à quatre pattes et tu imiteras le bruit du lion. Qu'est-ce qu'il fait, le lion? (Réponse: il rugit. RRR...)

• Quand je lèverai mon bras et que ma main sera ouverte, tu imiteras le chat, à quatre pattes encore une fois. Qu'est-ce qu'il fait, le chat? (Réponse: il miaule. Miaou, miaou...)

• Quand je lèverai mon bras et que ma main sera ouverte vers le bas, tu t'allongeras sur le côté pour faire le chat qui dort au soleil.

• Lorsque tous les chats seront en train de se reposer au soleil, je toucherai à trois chats. Ils s'étireront doucement, comme des chats, puis ils se lèveront et chacun d'eux ira toucher à un chat; ensuite, ils reviendront s'asseoir à leur place.

• À leur tour, les trois nouveaux chats s'étireront doucement, ils se lèveront et iront toucher à trois autres chats.

Au jeu!

L'animatrice guide les enfants au fur et à mesure:

• Tout le monde bouge! Par exemple, tu peux courir, sauter sur un pied ou sur deux, tu peux faire du jogging. C'est toi qui décides. (Laisser les enfants bouger pendant quelques secondes.)

- Je lève mon bras. Regarde bien ma main pour savoir ce que tu dois faire. Ma main est fermée. Tu fais le lion sans toucher aux autres lions. (Les enfants se placent à quatre pattes et imitent le rugissement du lion.)

- Maintenant, ma main est ouverte. Tu fais le chat.

- Le chat ne miaule pas fort. Tout bas, tout bas.

- Tu peux marcher ou rester où tu es.

(Refaire le lion et le chat quelques fois.)

- Regarde bien ma main: elle est ouverte vers le bas. Cela veut dire que tu fais le chat qui se fait chauffer au soleil. Tu te couches sur le côté et tu miaules de moins en moins fort.

- Tu places bien tes jambes et tes bras devant toi. Tu peux placer ta tête sur une de tes petites pattes, si tu le veux.

- Tu laisses tes jambes et tes bras mous mous, tout détendus.

- Tu ne miaules plus du tout.

- Tu te reposes en silence. (Laisser les enfants se reposer ainsi pendant une minute.)

- Je vais toucher à trois chats qui sont bien au repos.

- Les chats que je touche s'étirent tout doucement.

Ensuite, ils se lèvent et, à leur tour, chacun va toucher un autre chat. Puis, ils reviennent s'asseoir calmement à leur place et continuent de se reposer.

• Les trois nouveaux chats touchés font la même chose: ils s'étirent, puis, ils se lèvent debout et vont toucher chacun un autre chat. (Ainsi de suite jusqu'à ce que tous les chats aient été touchés.)

LE CHAT-LION

déplacement

poing = lion

main ouverte = chat

poing = lion

main ouverte = chat

chat qui dort

toucher

toucher

Remarque

Insister pour que les participants et les participantes regardent bien votre main afin de savoir quoi faire: le lion, le chat ou le chat au soleil.

LE CLOWN KIKI

Planification

Objectif: Amener les enfants à un état de détente par des mouvements de contraction et de relâchement.

Activité: Jouer un tour à madame Turbine en déplaçant toutes les maisons de son village.

Préparation: Prévoir suffisamment d'espace pour que les enfants puissent se déplacer les bras allongés, sans toucher à leur voisin ni à leur voisine. Par exemple, pour un groupe d'une trentaine d'enfants, délimiter un espace ayant environ les dimensions d'un terrain de volley-ball (18 m x 9 m). Si possible, tamiser l'éclairage vers la fin du jeu.

Description du jeu

L'animatrice explique le jeu aux enfants en mimant les mouvements au besoin:

• Nous allons jouer au clown Kiki.

• Je commence par t'expliquer le jeu. Toi, tu écoutes et tu regardes. Ensuite, nous ferons le jeu ensemble.

• Nous allons faire comme si tout cet espace était le village de madame Turbine. Son village contient 1000 maisons!

• Chacun de vous est le clown Kiki. Le clown Kiki veut jouer un tour à madame Turbine: il veut changer toutes les maisons d'endroit. Pour jouer ce beau tour, je vais nommer différentes sortes de maisons et tu feras semblant de les transporter. Par exemple, quand je dirai «Une maison à trois étages», tu forceras pour la soulever et pour la déplacer. Quand tu la déposeras, tu pencheras ton corps vers l'avant, tu plieras tes genoux un peu et tu balanceras tes bras en les laissant mous, mous.

• Lorsque je nommerai une petite maison, par exemple «Une niche», tu la soulèveras et tu la transporteras en forçant juste un peu. Qu'est-ce que c'est, une niche? (Réponse: c'est une maison pour les chiens.)

• Quand je dirai: «C'est la 1000ᵉ maison!», ce sera la dernière maison à transporter. Comme tu auras déplacé les 1000 maisons de la ville de madame Turbine, tu seras épuisé, alors tu te reposeras. Tu pourras t'asseoir ou t'étendre au sol. Tu ne bougeras plus. Tu détendras les muscles de tes bras et de tes jambes.

• Quand je verrai que tous les clowns Kiki sont immobiles, je taperai trois fois des mains et je deviendrai madame Turbine. Je serai toute surprise de voir que les maisons de mon village ont changé de place.

• Quand tu te sentiras assez reposé, tu te lèveras doucement sans faire de bruit. Une fois debout, tu feras un clin d'œil à madame Turbine pour lui dire que tu es le clown Kiki et que tu lui as joué un bon tour. Si tu as de la difficulté à faire un clin d'œil, tu peux t'aider de ta main.

• Ensuite, tu te dirigeras vers ta prochaine activité (ou tu retourneras t'asseoir à ta place).

Au jeu!

L'animatrice guide les enfants au fur et à mesure:

• Chacun se choisit une place et s'installe debout.

• Nous commençons par déplacer une maison à quatre étages.

• Tu lèves, tu forces, tu forces. Tu vas la déposer à l'endroit que tu as choisi, puis tu relâches. Tu penches ton corps vers l'avant, tu plies tes genoux un peu et tu laisses balancer tes bras.

• Tu déplaces maintenant la 2e maison: c'est une maison à trois étages. Tu lèves, tu forces, tu forces. Tu vas la déposer à l'endroit que tu as choisi, puis tu relâches. Tu penches ton corps vers l'avant, tu plies un peu tes genoux et tu laisses balancer tes bras.

• 36e maison: c'est un nid d'oiseau. Il est tout léger, alors tu le soulèves doucement, puis tu le places là où tu le veux et tu relâches. (Nommer une ou deux maisons de plus, selon les besoins.)

• C'est la 1000e maison! Elle a cinq étages. Elle est très lourde! Tu forces beaucoup… et tu relâches.

• Comme tu as travaillé bien fort, tu te reposes en attendant que madame Turbine arrive. Tu peux t'asseoir ou t'étendre au sol, comme tu le veux.

• Quand je verrai que chaque clown Kiki est détendu et que personne ne bouge, je taperai des mains trois fois et je me transformerai en madame Turbine. (Taper des mains au moment propice.)

• Quand tu te sens assez reposé, tu te lèves. Sans faire de bruit, tu viens faire un clin d'œil à madame Turbine. Si tu as de la difficulté à faire un clin d'œil, tu peux te servir de ta main.

• Ensuite, tu peux te diriger vers ta prochaine activité.

LE CLOWN KIKI

debout   forcer

relâcher

repos

Remarque

Autre option: demander à un enfant de jouer le rôle de madame Turbine.

LE CŒUR

Planification

Objectif: Amener l'enfant à un état de repos en effectuant des mouvements très énergiques, puis des mouvements plus légers.

Activité: Chaque enfant apprend à écouter les battements de son cœur qui varient selon l'intensité de l'exercice physique.

Préparation: Prévoir assez d'espace pour que chaque enfant puisse courir à son aise. Par exemple, pour un groupe d'une trentaine d'enfants, délimiter un espace ayant environ les dimensions d'un terrain de volley-ball (18 m x 9 m). Si possible, tamiser l'éclairage.

Description du jeu

L'animatrice explique le jeu aux enfants en mimant les mouvements au besoin:

- Nous allons jouer au cœur.

- Je commence par t'expliquer le jeu. Toi, tu écoutes et tu regardes. Ensuite, nous ferons le jeu ensemble.

- Quand je dirai «Au jeu!», tu te mettras à courir. Tout le monde courra dans le même sens (ou sur place).

- Après quelques secondes, je taperai des mains trois fois. Alors, tu arrêteras de courir.

• Lorsque je dirai «Cœur!», tu te coucheras sur le dos et tu mettras tes mains sur ton cœur. Tu écouteras ton cœur.

Au jeu!

L'animatrice guide les enfants au fur et à mesure:

• Au jeu!

• Tu cours, tu cours, plus vite! (Laisser les enfants courir environ 30 secondes, puis taper des mains.)

• Cœur! Tu te couches sur le dos et tu mets tes mains sur ton cœur.

• Est-ce que tu entends ton cœur? Est-ce qu'il bat fort?

• Tu te relèves et tu recommences à courir. Tu cours plus vite, plus vite. (Laisser les enfants courir environ 30 secondes, puis taper des mains.)

• Cœur! Tu te couches encore une fois et tu places tes mains sur ton cœur.

• Tu entends ton cœur. Il bat fort. (Attendre ainsi environ 20 secondes.)

• Maintenant, est-ce que ton cœur bat encore très fort? A-t-il commencé à battre moins fort?

• On le refait, mais cette fois, après avoir couru, tu marches un peu avant de t'allonger sur le dos et d'écouter ton cœur.

• Tu cours, vite. Maintenant, tu marches un peu... (Laisser les enfants marcher pendant une vingtaine de secondes, puis taper des mains.)

• Cœur! (Les enfants se couchent.)

• Est-ce que ton cœur bat plus fort ou moins fort après que tu as marché? Alors, quand tu marches après avoir couru, tu récupères plus facilement. Tu reprends ton souffle plus rapidement.

• Tu restes allongé et tu écoutes ton cœur qui bat moins fort et qui se repose.

• (Facultatif) Quand je te nomme, tu te lèves tranquillement et tu vas t'asseoir (ou prendre ta place en rang) ou tu continues à te détendre.

LE CŒUR

courir   écouter le cœur

courir   écouter le cœur

 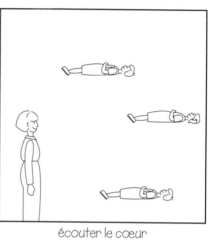

marcher   écouter le cœur

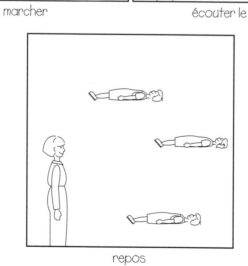

repos

LA COLLECTION DE POUPÉES

Planification

Objectif: Amener l'enfant à se détendre par des mouvements de contraction et de relâchement.

Activité: Les enfants imitent les poupées mentionnées.

Préparation: Prévoir assez d'espace pour que les enfants puissent s'allonger au sol sans toucher à leur voisin ni à leur voisine. Par exemple, pour un groupe d'une trentaine d'enfants, délimiter un espace ayant environ les dimensions d'un terrain de volley-ball (18 m x 9 m). Si possible, tamiser l'éclairage.

Description du jeu

L'animatrice explique le jeu aux enfants en mimant les mouvements au besoin:

* Nous allons jouer à la collection de poupées.

* Je commence par t'expliquer le jeu. Toi, tu écoutes et tu regardes. Ensuite, nous ferons le jeu ensemble.

* Qu'est-ce que c'est, une collection? (Réponse: c'est une grande quantité d'objets de la même sorte que l'on ramasse. On peut collectionner des sous, des cartes, des timbres, etc.).

• On va faire comme si on avait une collection de poupées.

• Quand je vais nommer une sorte de poupée, tu vas l'imiter. Par exemple, quand je dirai «Une poupée qui danse», tu te mettras à danser.

• Quelles autres sortes de poupées pourrait-il y avoir dans ma collection? (Réponses: une poupée qui chante, une poupée qui parle, une poupée de chiffon, une poupée de ciment, une poupée de porcelaine, une poupée de bois, etc.)

• Quand je dirai «Une poupée de bois!», tu deviendras dur comme du bois.

• Quand je dirai «Une poupée de pâte à modeler!», tu deviendras mou comme cette pâte.

• Quand je dirai «Une poupée qui dort!», tu en profiteras pour t'allonger au sol et pour faire semblant de dormir. Après quelques minutes, je taperai trois fois dans mes mains. Le jeu sera terminé, alors tu pourras te lever et te diriger vers ta prochaine activité.

Au jeu!

L'animatrice guide les enfants au fur et à mesure:

• Une poupée qui parle.

• (Coup de sifflet ou autre signal) Une poupée qui danse. Attention! La poupée danse, mais elle ne parle pas en même temps.

- Une poupée de ciment.

- Une poupée de chiffon.

- Une poupée de porcelaine.

- Une poupée de bois.

- Une poupée de pâte à modeler.

(Nommer d'autres poupées, au besoin.)

- Une poupée qui dort. Tu en profites pour t'allonger au sol et pour te reposer.

- (Attendre 2 ou 3 minutes, puis taper trois fois des mains.) La collection est terminée. Tu peux maintenant te lever doucement et te diriger vers ta prochaine activité.

LA COLLECTION DE POUPÉES

danser   dur

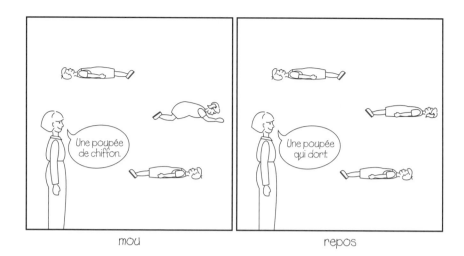

mou   repos

Remarque

Autres exemples à imiter: la poupée aux jambes de bois et
aux bras de coton, la poupée aux bras de porcelaine et aux
jambes de guenilles, etc.

LES COQUILLAGES

Planification

Objectif: Amener les enfants à la tranquillité par l'adoption d'une position de relâchement.

Activité: Chaque enfant imite avec son corps une forme de coquillage dans lequel il y a une perle rare.

Préparation: Prévoir suffisamment d'espace pour que les enfants puissent s'installer à leur aise sans toucher à leur voisin ni à leur voisine. Par exemple, pour un groupe d'une trentaine d'enfants, délimiter un espace ayant environ les dimensions d'un terrain de badminton (13 m x 6 m). Si possible, tamiser l'éclairage.

Description du jeu

L'animatrice explique le jeu aux enfants en mimant les mouvements au besoin:

- Nous allons jouer aux coquillages.

- Je commence par t'expliquer le jeu. Toi, tu écoutes et tu regardes. Ensuite, nous ferons le jeu ensemble.

- Nous sommes dans la mer et il y a une sirène à la recherche de perles rares. La sirène s'appelle Roza. Elle désire se fabriquer le plus beau collier du monde. Où la sirène Roza va-t-elle trouver ses perles? (Réponse: dans les coquillages.)

• Tu vas imiter un coquillage avec ton corps. Ton coquillage pourra être très rond, alors tu formeras une boule avec tout ton corps. Il pourra aussi être allongé, alors tu t'installeras au sol en allongeant les bras et les jambes.

• Quand ton coquillage sera bien formé et que tu seras complètement immobile, la sirène ira te cueillir et regardera s'il y a une perle rare en toi, dans ton coquillage.

• La sirène, ce sera moi. Je vais te nommer, puis tu ouvriras doucement ton coquillage et tu te lèveras tranquillement. Quand je verrai ton sourire, je saurai que tu as une perle rare en toi. À ce moment-là, tu pourras aller lentement te placer sur le cercle et ainsi former avec les autres le plus beau collier de perles rares du monde pour la sirène Roza.

• Quand toutes les perles silencieuses seront sur le cercle, le collier sera terminé. Tu pourras alors te diriger vers ta prochaine activité.

Au jeu!

L'animatrice guide les enfants au fur et à mesure:

• Tu te choisis une place et tu commences à former ton coquillage.

• Tu peux imiter un coquillage rond ou un coquillage allongé. Il peut être petit, petit ou bien grand. Je veux voir toutes sortes de coquillages.

• Quand je vois que ton coquillage est terminé et qu'il est complètement immobile, je te nomme. Toi, tu t'ouvres lentement, puis tu te lèves doucement.

• Ton beau sourire m'indique que tu as une perle rare en toi. Tu peux maintenant aller installer ta perle sur le cercle silencieux. Avec les autres perles, tu formes le plus beau collier du monde pour la sirène Roza.

• Le collier est maintenant terminé: toutes les perles rares y sont! Tu peux donc te diriger vers ta prochaine activité.

LES COQUILLAGES

Remarque

Autre option: choisir un enfant pour faire la sirène.

LES DÉMÉNAGEURS

Planification

Objectif: Amener les enfants à un état de relaxation par des mouvements de contraction et de relâchement, par secousses.

Activité: Chaque enfant imite un déménageur ou une déménageuse.

Préparation: Prévoir suffisamment d'espace pour que les enfants puissent marcher à leur aise, les bras allongés. Par exemple, pour un groupe d'une trentaine d'enfants, délimiter un espace ayant environ les dimensions d'un terrain de volley-ball (18 m x 9 m). Si possible, tamiser l'éclairage.

Description du jeu

L'animatrice explique le jeu aux enfants en mimant les mouvements au besoin:

• Nous allons jouer aux déménageurs et aux déménageuses.

• Je commence par t'expliquer le jeu. Toi, tu écoutes et tu regardes. Ensuite, nous ferons le jeu ensemble.

• On fait comme si tu m'aidais à terminer mon déménagement vers ma nouvelle maison.

• Quand je vais nommer un objet, par exemple ma table, tu feras semblant de la soulever. Tu forceras parce qu'elle est pesante. Puis, tu la transporteras jusque dans le camion de déménagement, qui est situé à 10 mètres de la maison, juste ici (déterminer un endroit dans l'espace de jeu).

• Quand je nommerai un objet très lourd, par exemple mon téléviseur, tu te placeras avec un ou une camarade pour le transporter. Même quand tu travailleras en équipe de deux, je veux te voir forcer. Je veux voir tes bras durs et tes jambes dures parce que l'objet que tu transportes est lourd.

• Quand tu auras déposé l'objet dans le camion, tu pourras relâcher tes muscles en secouant tes bras et tes jambes.

• Lorsque tu auras transporté tous les objets dans le camion, ma maison sera vide. Tu t'allongeras au sol et tu te reposeras, car tu auras travaillé fort.

• Quand je verrai que tu es bien reposé, je vais te nommer et tu pourras te lever lentement. Le jeu sera terminé.

Au jeu!

L'animatrice guide les enfants au fur et à mesure:

• Nous commençons par déménager une boîte de vaisselle. Tu forces juste un peu parce que c'est assez léger. Tu déposes doucement la boîte dans le camion, en faisant bien attention de ne pas briser la vaisselle. Puis, tu relâches tes bras et tu les secoues un peu.

• Maintenant, nous allons déménager l'ordinateur. C'est pesant, un ordinateur. Tu forces, tes bras sont durs, tes jambes aussi. Tu déposes l'ordinateur dans le camion et tu relâches tes muscles.

• (Nommer deux ou trois objets, par exemple une table, une chaise, un lit, une boîte de vêtements, une cuisinière, un fauteuil, un téléviseur, une horloge sur pied, un four à micro-ondes, etc. Lorsque l'objet est très lourd, inviter les enfants à se placer en équipe de deux.)

• C'est le temps de transporter le dernier morceau: mon réfrigérateur. Il est lourd, très, très lourd. Tu te places avec un ou une camarade pour le transporter. Tu forces beaucoup. Les muscles de tes bras et de tes jambes sont durs, durs. Puis, tu déposes le réfrigérateur dans le camion. Tu secoues un peu tes bras et tes jambes.

• Le déménagement est enfin terminé! Pour te reposer, tu t'allonges au sol. Tu laisses tes jambes molles et tes bras mous.

• Quand je vois que tu es bien détendu, je te nomme et tu te lèves doucement. Tu peux maintenant te diriger vers ta prochaine activité.

Remarque

Choisir un ou une enfant qui déménage: c'est lui ou elle qui nommera les objets à transporter dans le camion.

LES DÉMÉNAGEURS

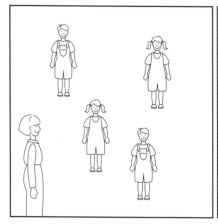

DUR, DUR, MOU, MOU

Planification

Objectif: Amener l'enfant à relâcher différentes parties de son corps en exécutant des actions de contraction et de relâchement.

Activité: Chaque enfant fait tour à tour devenir son corps très dur et très mou.

Préparation: Prévoir assez d'espace pour que chaque enfant puisse s'étendre sans toucher à son voisin ou à sa voisine. Par exemple, pour un groupe d'une trentaine d'enfants, délimiter un espace ayant environ les dimensions d'un terrain de badminton (13 m x 6 m). Si possible, tamiser l'éclairage.

Description du jeu

L'animatrice explique le jeu aux enfants en mimant les mouvements au besoin:

• Nous allons jouer à dur, dur, mou, mou.

• Je commence par t'expliquer le jeu. Toi, tu écoutes et tu regardes. Ensuite, nous ferons le jeu ensemble.

• Au début, tu te couches sur le dos.

• Quand je dirai «Dur, dur!», ton corps deviendra dur, dur. Pour que ton corps soit dur, tu fermeras les poings, et tu mettras plein de force dans tes bras. En même temps, tu pointeras les pieds et tu mettras plein de force dans tes cuisses et tes jambes.

• Quand je dirai «Mou, mou!», tu détendras tes pieds et tes jambes. Puis, tu détendras tes mains et tes bras. Ton corps sera mou, mou.

Au jeu!

L'animatrice guide les enfants au fur et à mesure:

• Maintenant, tu t'étends sur le dos, les jambes allongées, les pieds décroisés. Tu places les bras de chaque côté de ton corps, c'est-à-dire allongés à côté de tes cuisses.

• Dur, dur! Tu fermes les poings et tu mets plein de force dans tes bras. Tu pointes les pieds et tu mets plein de force dans tes cuisses et tes jambes. Ton corps est dur, dur.

• Mou, Mou! Tu détends tes pieds, tes cuisses et tes jambes. Tu détends aussi tes mains et tes bras. Ton corps est mou, mou.

• Dur, dur! Tu serres les poings. Tes bras sont durs, durs comme du fer. En même temps, tu pointes tes pieds; tes cuisses et tes jambes sont dures, dures comme une brique.

• Mou, mou! Tu détends tout ton corps. Tu es mou, mou.

• Dur, dur! (Laisser les enfants «se durcir» pendant quelques secondes.)

• Mou, mou!

• Maintenant, je te laisse un peu de temps pour te reposer.

• (Facultatif) Quand je vais te nommer, tu pourras t'asseoir (ou te lever doucement et retourner à ta place, ou prendre ton rang) ou tu pourras continuer à te reposer. Quand j'allumerai les lumières (ou quand je jouerai du tambourin ou de la flûte, ou que je taperai des mains), ce sera signe que l'activité est finie.

DUR, DUR, MOU, MOU

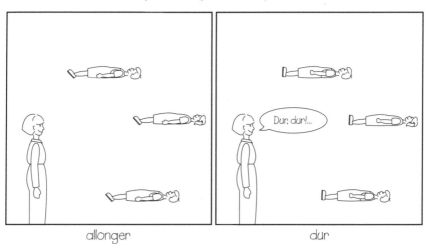

allonger   dur

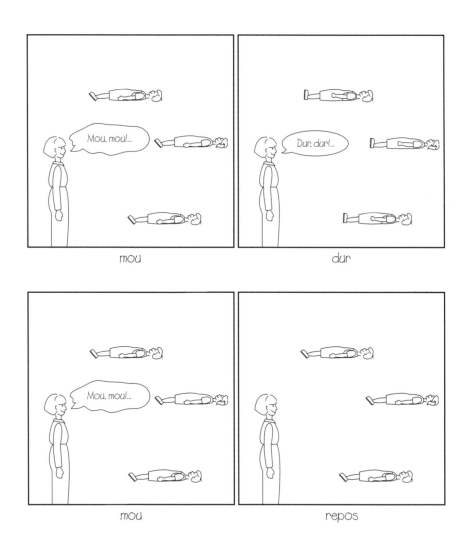

mou

dur

mou

repos

LES ÉTOILES FILANTES

Planification

Objectif: Amener les enfants à un état de détente par l'immobilisation de leur corps.

Activité: Chaque enfant imite une étoile dans le ciel avec tout son corps.

Préparation: Prévoir assez d'espace pour que les enfants puissent faire du jogging à leur aise, s'allonger au sol et bouger sans toucher à leur voisin ni à leur voisine. Par exemple, pour un groupe d'une trentaine d'enfants, délimiter un espace ayant environ les dimensions d'un terrain de badminton (13 m x 6 m). Si possible, tamiser l'éclairage.

Description du jeu

L'animatrice explique le jeu aux enfants en mimant les mouvements au besoin:

- Nous allons jouer à l'étoile filante.

- Je commence par t'expliquer le jeu. Toi, tu écoutes et tu regardes. Ensuite, nous ferons le jeu ensemble.

- Imagine que tout l'espace autour de nous, c'est le ciel. Comme c'est le soir, le ciel est rempli d'étoiles.

- Tu vas choisir une place dans le ciel et tu vas imiter une étoile. Avec tes bras, tes jambes et ta tête, tu vas faire les cinq branches de l'étoile. Pour mieux l'imiter, tu vas t'allonger sur le dos et tu vas écarter les jambes en tournant les pieds vers l'extérieur. Ensuite, tu vas écarter les bras en plaçant les paumes de tes mains vers le ciel.

• Tu es une étoile toute brillante! Pendant que tu brilles dans le ciel, tu te reposes, tu ne bouges plus.

• Quand je vais voir que tu es bien reposé, je vais te nommer et tu vas devenir une étoile filante au ralenti!

• Qu'est-ce que ça fait, une étoile filante? (Réponse: ça se déplace dans le ciel rapidement.) Qu'est-ce que ça fait, une étoile filante au ralenti? (Réponse: ça se déplace dans le ciel lentement, très lentement.) Alors, à la fin du jeu, quand je vais te nommer, tu vas ouvrir tes doigts lentement, puis tu bougeras tes épaules et tes bras doucement. Ensuite, tu bougeras tes pieds et tes jambes au ralenti. Tu te lèveras et tu te dirigeras très, très lentement vers ta prochaine activité.

Au jeu!

L'animatrice guide les enfants au fur et à mesure:

• Tu te choisis une place dans le ciel.

• Tu t'allonges sur le dos pour imiter une étoile. Tes jambes sont écartées et tes pieds sont tournés vers l'extérieur. Tes bras aussi sont écartés et les paumes de tes mains regardent vers le ciel.

• Tu te reposes. Tu brilles dans le ciel sans bouger. (Laisser les enfants se détendre pendant quelques minutes.)

- Quand je vais te nommer, tu vas devenir une étoile filante.

- Tu commences par ouvrir tes doigts lentement, puis tu bouges tes épaules et tes bras doucement. Tu bouges tes pieds et tes jambes au ralenti.

- Finalement, tu files au ralenti vers ta prochaine activité.

LES ÉTOILES FILANTES

LES EXTRÉMITÉS

Planification

Objectif: Amener l'enfant à un état de détente par l'étirement progressif des parties du corps, suivi d'un relâchement.

Activité: Chaque enfant s'étire vers le haut et relâche vers le bas.

Préparation: Prévoir assez d'espace pour que chaque enfant puisse se pencher vers l'avant sans toucher à son voisin ou à sa voisine. Par exemple, pour un groupe d'une trentaine d'enfants, délimiter un espace ayant environ les dimensions d'un terrain de badminton (13 m x 6 m). Si possible, tamiser l'éclairage.

Description du jeu

L'animatrice explique le jeu aux enfants et mime les mouvements au besoin:

- Nous allons jouer aux extrémités.

- Je commence par t'expliquer le jeu. Toi, tu écoutes et tu regardes. Ensuite, nous ferons le jeu ensemble.

- Au début, tu te places debout.

- Quand je nommerai quelque chose qui est vers le haut, par exemple, le ciel, un avion, des nuages, le soleil, la planète Mars, tu t'étireras vers le haut. Tu te lèveras sur la pointe des pieds et tu allongeras tes bras le plus haut possible.

• Quand je nommerai quelque chose qui est vers le bas, par exemple, la pelouse, la mer, les fleurs, tu relâcheras ton étirement. Tu laisseras tomber tes bras et ton corps vers l'avant. Tu plieras un peu les genoux et ton corps sera tout mou.

• Quand je dirai «Entre ciel et terre!», tu te tiendras bien droit, détendu.

Au jeu!

L'animatrice guide les enfants au fur et à mesure:

• Place-toi debout. Assure-toi que tu peux plier ton corps vers l'avant sans toucher à ton voisin ou à ta voisine.

• Soleil! (Ou nommer tout autre objet qui se trouve dans le ciel.) Tu t'étires bien en te levant sur la pointe des pieds et en allongeant tes bras le plus haut possible. (Attendre quelques secondes.)

• Fleurs! (Ou nommer tout autre objet qui se trouve au sol.) Tu relâches ton corps. Tu laisses tomber tes bras et ton corps vers l'avant en pliant un peu les genoux. Ton corps est tout mou.

(Nommer par intermittence quelques éléments dans le ciel et par terre.)

• Entre ciel et terre! Tu te tiens bien droit.

• Tu peux retourner à ta place (ou prendre ton rang). L'activité est terminée.

LES EXTRÉMITÉS

dos à dos

étirer - haut

relâcher - bas

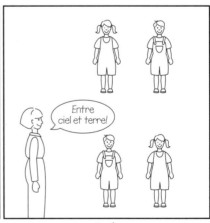

relâcher

LA FERME

Planification

Objectif: Amener les enfants à un état de calme en passant de la mobilité à l'immobilité.

Activité: Chaque enfant imite son animal préféré de la ferme et le fait reposer.

Préparation: Prévoir assez d'espace pour que les enfants puissent bouger à leur aise. Par exemple, pour un groupe d'une trentaine d'enfants, délimiter un espace ayant environ les dimensions d'un terrain de volley-ball (18 m x 9 m). Si possible, tamiser l'éclairage lorsque le jeu est rendu à la nuit et remettre de la lumière lorsque le jeu est revenu au petit matin.

Description du jeu

L'animatrice explique le jeu aux enfants en mimant les mouvements au besoin:

• Nous allons jouer à la ferme.

• Je commence par t'expliquer le jeu. Toi, tu écoutes et tu regardes. Ensuite, nous ferons le jeu ensemble.

• Nomme-moi des animaux de la ferme. (Réponses: poule, cochon, cheval, vache, chat, chien, veau, mouton, coq, canard, bœuf, taureau...)

• Tu choisis un animal parmi tous ces habitants de la ferme.

• Quand je vais dire «Au jeu!», tu imiteras l'animal que tu as choisi. Tu pourras trotter, miauler, battre des ailes, etc.

• Quand je taperai des mains trois fois, ce sera la nuit: tous les animaux de la ferme dormiront. Toi, pour imiter ton animal qui dort, tu pourras garder les yeux ouverts ou les fermer, comme tu le veux.

• Il y a des animaux qui dorment debout comme les chevaux, d'autres se placent en boule comme les poules, d'autres se couchent au sol.

• À un moment donné, je vais choisir un animal de la ferme qui est très calme et qui ne bouge pas. Je vais lui toucher le pied avec ma main et cet animal va se transformer en coq. Il se réveillera, il se lèvera et il chantera «Cocorico!», comme le coq, afin de réveiller tous les animaux de la ferme. Ton animal aussi se réveillera doucement; il s'étirera et marchera doucement vers son petit déjeuner (ou vers son rang, sa chaise), etc.

Au jeu!

L'animatrice guide les enfants au fur et à mesure:

• Tu choisis un animal de la ferme.

• Maintenant, tu te places à un endroit et tu imites l'animal que tu as choisi. Tu peux sautiller, galoper, battre des ailes, beugler, miauler, etc. (Laisser les enfants expérimenter leurs imitations pendant quelques secondes.)

• (Taper des mains trois fois.) C'est la nuit! Tous les animaux se placent pour dormir.

• Toi, tu fais semblant de dormir comme ton animal. Tu peux garder les yeux ouverts ou les fermer, c'est toi qui choisis.

• Maintenant, je vois que tous les animaux de la ferme sont endormis. Je vais en choisir un qui ne bouge plus du tout. Quand je vais lui toucher le pied, il va se transformer en coq et il chantera. (Toucher le pied d'un ou d'une enfant et lui redire, au besoin, d'imiter le coq qui chante le réveil.)

• Cocorico!!!!

• Le matin est arrivé, tous les animaux se réveillent lentement. Tu t'étires, tu bâilles et quand tu es prêt, tu marches doucement vers ton petit déjeuner (ta place dans le rang ou dans le cercle, ta chaise, etc.).

LA FERME

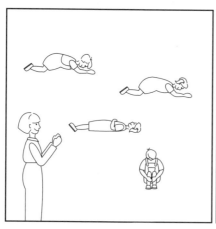

repos

Remarque

Si un enfant est choisi pour faire le coq et qu'il ne veut pas faire le chant, il fait simplement un signe de négation à l'intervenante et celle-ci choisit un autre enfant.

LA FÊTE

Planification

Objectif: Amener l'enfant à un état de détente par l'affaissement des parties de son corps.

Activité: Chaque enfant imite une bougie qui fond sur le gâteau d'anniversaire.

Préparation: Prévoir assez d'espace pour que les enfants puissent s'allonger au sol sans toucher à leur voisin ni à leur voisine. Par exemple, pour un groupe d'une trentaine d'enfants, délimiter un espace ayant environ les dimensions d'un terrain de badminton (13 m x 6 m). Si possible, tamiser l'éclairage.

Description du jeu

L'animatrice explique le jeu aux enfants en mimant les mouvements au besoin:

• Nous allons jouer à la fête. Nous allons faire semblant de célébrer l'anniversaire d'un ou d'une camarade.

• Je commence par t'expliquer le jeu. Toi, tu écoutes et tu regardes. Ensuite, nous ferons le jeu ensemble.

• Premièrement, nous allons former un grand cercle. Ce grand cercle deviendra un gâteau d'anniversaire.

• Ensuite, on va choisir l'ami que l'on fêtera.

• Quand je vais dire «Au jeu!», la fête commencera. Toi, tu t'amuseras avec tous tes amis. Tu pourras danser, courir, sauter et chanter, comme il te plaira.

• Quand je frapperai trois fois des mains et que je dirai «C'est l'heure du gâteau d'anniversaire!», tu viendras te placer sur le gâteau pour faire une chandelle. Le gâteau, c'est le cercle où nous étions au début du jeu. Toutes les chandelles seront bien droites et resteront sur place sans bouger.

• Si tu es l'ami que l'on fête, tu iras te placer devant le gâteau et tu regarderas tes chandelles.

• Quand je vais voir que toutes les chandelles sont bien installées, j'irai les allumer une par une avec mon index. Lorsque je toucherai ta tête avec mon doigt, cela voudra dire que tu es une chandelle allumée.

• Qu'est-ce que ça fait, une chandelle qui est allumée? (Réponse: ça éclaire, ça brûle, ça fond.) Alors, quand tu auras été touché et que tu seras une chandelle allumée, tu commenceras à fondre lentement. Tu fondras, tu fondras, jusqu'à ce qu'il n'y ait plus de cire. Tu te retrouveras complètement étendu au sol et tu en profiteras pour te reposer.

• Quand je vais voir que ta chandelle est complètement fondue, je te nommerai. Tu pourras alors te lever doucement et aller souhaiter «Bon anniversaire!» à ton ami.

• Lorsque tout le monde aura souhaité «Bon anniversaire!» à notre ami, le jeu sera terminé. Chacun et chacune pourra se diriger vers sa prochaine activité.

Au jeu!

L'animatrice guide les enfants au fur et à mesure:

• Nous formons un grand cercle.

• Qui choisissons-nous de fêter, aujourd'hui? (Au besoin, désigner l'enfant fêté.) Michaël, on fait comme si c'était ton anniversaire aujourd'hui!

• Au jeu! La fête commence! Tout le monde s'amuse comme dans une fête! Tu peux danser, courir, sauter, chanter, comme il te plaît. (Laisser les enfants s'amuser ainsi pendant quelques minutes.)

• (Frapper trois fois des mains.) C'est l'heure du gâteau d'anniversaire! Tu viens te placer sur le cercle pour imiter une chandelle du gâteau.

• Michaël, toi, tu viens te placer devant le gâteau.

• Chaque chandelle reste bien droite et arrête de bouger.

• Quand je vais voir que tu es bien droit et immobile, je vais allumer ta chandelle en touchant ta tête avec mon index. Lorsque je te touche, tu commences à fondre lentement. Tu fonds, tu fonds, jusqu'à ce qu'il n'y ait plus de cire.

• Ta chandelle est toute fondue! Tu es complètement étendu au sol et tu en profites pour te reposer. Tes jambes sont molles, tes bras aussi sont mous.

• Lorsque je vois que tu es complètement détendu, je te nomme. Tu te lèves alors doucement et tu vas souhaiter «Bon anniversaire!» à Michaël. Puis, tu te diriges vers ta prochaine activité.

LA FÊTE

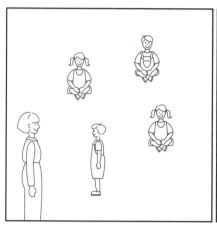

bougie

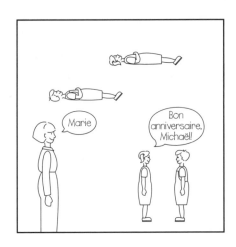

Remarque

Ce peut être l'anniversaire de jumeaux ou de triplés. Si les enfants mentionnent que certains ont des poux, toucher l'épaule de chacun et chacune afin d'allumer les chandelles.

LA FONTAINE

Planification

Objectif: Amener l'enfant à un état de repos par l'affaissement de chaque partie de son corps.

Activité: Chaque enfant devient une petite fleur de plus en plus asséchée.

Préparation: Prévoir assez d'espace pour que chaque enfant puisse s'étendre au sol sans toucher à son voisin ou à sa voisine. Par exemple, pour un groupe d'une trentaine d'enfants, délimiter un espace ayant environ les dimensions d'un terrain de volley-ball (18 m x 9 m). Si possible, tamiser l'éclairage.

Description du jeu

L'animatrice explique le jeu aux enfants en mimant les mouvements au besoin:

- Nous allons jouer à la fontaine.

- Je commence par t'expliquer le jeu. Toi, tu écoutes et tu regardes. Ensuite, nous ferons le jeu ensemble.

- Au début, nous sommes debout. Vous êtes comme des fleurs dans un grand champ et moi, je suis le soleil.

- Avec mes bras, j'indiquerai l'heure.

• Quand mes bras seront en bas, il sera six heures du matin. À cette heure-là, les fleurs comme toi sont toutes pimpantes. Tu peux rire, sauter, danser sur place. C'est toi qui décideras.

• Ensuite, je monterai mes bras: il sera sept heures, puis huit heures, et neuf heures... Les fleurs seront encore en forme. Tu continueras à sauter, à danser, à rire... comme tu le voudras.

• Quand mes bras indiqueront dix heures, comme ceci, les fleurs commenceront à avoir chaud. Alors tu bougeras de moins en moins.

• À onze heures, les fleurs auront de plus en plus chaud. Elles se faneront tranquillement. Tu arrêteras de danser et de sauter et tu laisseras tomber ton corps vers l'avant.

• À midi, elles seront complètement fanées. Tu t'allongeras alors au sol et tu te reposeras au soleil.

Au jeu!

L'animatrice guide les enfants au fur et à mesure:

• Tu te places debout en laissant assez d'espace autour de toi pour pouvoir sauter et danser sans toucher à ton voisin ou à ta voisine.

• Tu es une fleur dans un champ. Moi, je suis le soleil.

• Avec mes bras, j'indique qu'il est six heures. (Placer les deux bras vers le bas.)

• Tu es une fleur toute pimpante: tu sautes, tu danses sur place, tu ris... C'est toi qui décides ce que tu fais.

• Mes bras montent peu à peu: il est sept heures, huit heures, neuf heures. Tu es une fleur encore très en forme... Tu danses, tu sautes, tu ris au soleil...

• Maintenant, mes bras indiquent qu'il est dix heures. Tu commences à avoir chaud. Tu sautes et tu danses de moins en moins.

• Regarde mes bras. Il est onze heures. Tu es une fleur qui se fane tranquillement. Tu deviens tout mou et tu laisses tomber tes bras et ton corps vers l'avant.

• Maintenant, il est midi. Tu t'allonges au sol. Tu es une fleur complètement sèche et tu as soif. Tu restes couché sans bouger. Tu te reposes. (Laisser les enfants ainsi pendant quelques secondes.)

• Quand je te nomme, tu peux te lever très doucement, car tu n'as pas beaucoup d'énergie et tu as soif. Tu vas boire une ou deux gorgées d'eau et tu reviens à ta place. Tu peux t'allonger et continuer à te reposer (ou tu peux t'asseoir en silence ou aller prendre ton rang).

LA FONTAINE

6 h

9 h   11 h

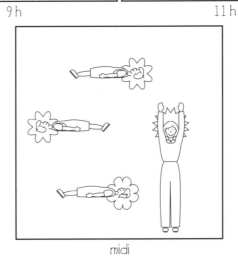

midi

LA FOURMI

Planification

Objectif: Amener l'enfant à la tranquillité par l'adoption d'une position de relâchement.

Activité: Chaque enfant forme un château de sable avec son corps afin d'y faire entrer une petite fourmi.

Préparation: Prévoir assez d'espace pour que chaque enfant puisse s'étendre au sol sans toucher à son voisin ou à sa voisine. Par exemple, pour un groupe d'une trentaine d'enfants, délimiter un espace ayant environ les dimensions d'un terrain de badminton (13 m x 6 m). Si possible, tamiser l'éclairage.

Description du jeu

L'animatrice explique le jeu aux enfants en mimant les mouvements au besoin:

- Nous allons jouer à la fourmi.

- Où les fourmis vivent-elles? (Réponses: dans le sable, dans une maison, dans un château de sable...)

- Je vais maintenant t'expliquer le jeu. Toi, tu écoutes et tu regardes. Ensuite, nous ferons le jeu ensemble.

- Au début, tu es assis.

• Quand je dirai «Au jeu!», tu feras un château de sable avec ton corps. Tu pencheras ta tête vers l'avant (tu pourras la placer sur ton pupitre, sur un coussin ou par terre, etc.) et tu placeras ton dos, tes bras et tes mains pour former un château à ta manière.

• Quand je verrai que ton château est bien formé et qu'il est calme, je laisserai la petite fourmi entrer dans ton château. C'est ma main qui fera la fourmi: je ferai monter mes doigts un après l'autre sur ton dos jusqu'à ton épaule.

• Quand la fourmi touchera à ton épaule, tu pourras t'asseoir calmement.

Au jeu!

L'animatrice guide les enfants au fur et à mesure:

• Tu es bien assis.

• Quand je dirai «Au jeu!», tu commenceras à faire un château de sable avec ton corps pour abriter les fourmis.

• Au jeu! Tu penches ta tête vers l'avant (tu peux la placer sur ton pupitre, par terre, sur un coussin, etc.). Tu places ton dos, tes bras et tes mains pour former un château de sable, à ta manière.

• Tu peux faire le château que tu veux. C'est toi qui décides.

• Quand je vois que ton château est bien formé, qu'il est tout tranquille, je vais laisser la petite fourmi entrer. Je fais la fourmi avec ma main. (Faire monter les doigts un après l'autre sur le dos de l'enfant jusqu'aux épaules.)

• Quand la fourmi touche à ton épaule, tu peux t'asseoir calmement (ou aller prendre un rang ou faire la fourmi sur le dos de ton voisin...).

LA FOURMI

château - détente

relaxer - la fourmi monte

Remarques

L'animatrice peut demander à des enfants de faire la fourmi pour que tous les enfants finissent le jeu en peu de temps.

Quand les enfants connaissent bien le jeu, leur suggérer de bâtir leur château en duo ou même en trio.

Ce jeu peut également se faire en équipe de deux: un joueur construit son château et l'autre compte dans sa tête de 1 à 20. À 20, ils inversent les rôles.

LE GÂTEAU D'ANNIVERSAIRE

Planification

Objectif: Amener l'enfant à un état de calme par l'expiration et l'inspiration.

Activité: Chaque enfant doit mimer qu'il éteint toutes les bougies d'un gâteau d'anniversaire.

Préparation: Prévoir assez d'espace pour que les enfants, placés en deux rangées, puissent s'asseoir côte à côte sans se toucher. Au besoin, tracer deux lignes une en face de l'autre, laissant environ un mètre entre les deux. Si possible, tamiser l'éclairage.

Description du jeu

L'animatrice explique le jeu aux enfants en mimant les mouvements au besoin:

• Nous allons jouer au gâteau d'anniversaire.

• Je commence par t'expliquer le jeu. Toi, tu écoutes et tu regardes. Ensuite, nous ferons le jeu ensemble.

• Au début, on s'assoit en deux rangées, l'une face à l'autre, et on se retourne pour ne pas se voir. (Cela évite que les enfants se soufflent au visage.) Je m'assoirai au bout entre les deux.

• Tu feras semblant qu'il y a un gâteau d'anniversaire en face de toi.

• Quand je chanterai «Bonne fête à toi, bonne fête à toi...», tu prendras une grande inspiration en gonflant bien ton ventre et en soulevant les épaules.

• Une fois que tu auras fait le plein d'air, tu souffleras fort sur les chandelles de ton gâteau. En soufflant, tu laisseras tes épaules descendre et ton ventre devenir plat ou se creuser.

• Ensuite, je dirai «Bravo!» et les chandelles se rallumeront.

• Je chanterai encore une fois «Bonne fête à toi...». Pendant ce temps-là, tu prendras une grande inspiration. Puis, tu souffleras les chandelles dans une grande expiration.

• Pour terminer le jeu, on applaudit tous ensemble jusqu'à ce que je lève la main.

Au jeu!

L'animatrice guide les enfants au fur et à mesure:

• La moitié du groupe s'assoit en ligne, les jambes croisées. On se place un à côté de l'autre sans se toucher. L'autre moitié du groupe se place en face du premier groupe et fait la même chose: chacun et chacune s'assoit les jambes croisées en formant une ligne. On se place côte à côte sans se toucher. Ensuite, on se retourne pour ne plus voir notre voisin d'en face. Je m'assois entre les deux rangées.

• Tu fais semblant que tu as un gâteau d'anniversaire devant toi. Il y a plein de chandelles dessus.

• Lorsque je chanterai, tu prendras une grande inspiration en gonflant bien ton ventre et en levant tes épaules.

• Bonne fête à toi, bonne fête à toi... (Chanter pendant trois ou quatre secondes.)

• Maintenant, souffle fort sur toutes les chandelles du gâteau. En soufflant, tes épaules descendent et ton ventre devient plat ou se creuse.

• Bravo! Les chandelles se rallument.

• Tu reprends une grande inspiration comme la première fois pendant que je chante. Bonne fête à toi...

• Maintenant, tu souffles encore sur les chandelles en baissant les épaules. Ton ventre devient plat.

(L'animatrice peut rallumer les chandelles trois ou quatre fois.)

• Tout le monde applaudit avec moi. Quand je lèverai la main, tu cesseras d'applaudir et tu garderas silence.

• Tu peux maintenant continuer à te reposer (ou tu peux te lever et prendre ton rang...).

LE GÂTEAU D'ANNIVERSAIRE

L'HOMME FORT ET LA FEMME FORTE

Planification

Objectif: Amener l'enfant à libérer de la tension en exécutant des mouvements de contraction et de relâchement.

Activité: Chaque enfant lève une maison imaginaire au-dessus de ses bras, la tient pendant trois secondes et la relâche d'un coup.

Préparation: Prévoir assez d'espace pour que chaque enfant puisse s'accroupir sans toucher à son voisin ou à sa voisine. Par exemple, pour un groupe d'une trentaine d'enfants, délimiter un espace ayant environ les dimensions d'un terrain de badminton (13 m x 6 m). Si possible, tamiser l'éclairage.

Description du jeu

L'animatrice explique le jeu aux enfants en mimant les mouvements au besoin:

- Nous allons jouer à l'homme fort et à la femme forte.

- Je commence par t'expliquer le jeu. Toi, tu écoutes et tu regardes. Ensuite, nous ferons le jeu ensemble.

- Chaque joueuse et chaque joueur se placera debout.

- Tu essaieras de lever une grosse maison imaginaire. Pour faire cela, tu plieras un peu les genoux, tu pencheras ton corps un peu vers l'avant et tu prendras la maison par en dessous.

- Ensuite, tu lèveras tranquillement la maison en forçant.

- Une fois qu'elle sera en haut, tu la laisseras tomber.

- Nous allons faire cela quelques fois. La dernière fois, tu relâcheras complètement: tu laisseras tomber la maison et tu t'écrouleras doucement au sol pour te reposer.

Au jeu!

L'animatrice guide les enfants au fur et à mesure:

- Tu te places debout. Assure-toi d'avoir assez d'espace pour pouvoir te pencher sans toucher à ton voisin ou à ta voisine.

- Il y a une grosse maison imaginaire devant toi. J'aimerais que tu la lèves. Pour faire cela, plie un peu les genoux, penche un peu ton corps vers l'avant et prends la maison par en dessous.

- Lève, lève, force... c'est pesant. Lève bien au bout de tes bras.

- Maintenant, tu laisses tomber la maison. Tu plies un peu les genoux, tu descends les bras, tu plies le tronc vers l'avant et tu balances lentement les bras.

(L'animatrice demande aux enfants de recommencer deux ou trois fois.)

• Maintenant, c'est la dernière fois. Tu reprends la maison par en dessous, puis tu la montes jusqu'au bout de tes bras en forçant.

• Là, tu relâches complètement et tu t'écroules doucement au sol. Tu n'as plus d'énergie. Tu te reposes.

• (Facultatif) Quand je vois que tu es bien reposé, je te nomme et tu peux te lever (ou aller prendre ton rang, ou tu peux commencer une autre activité) ou tu te reposes jusqu'à tant que les lumières s'allument.

L'HOMME FORT ET LA FEMME FORTE

debout   forcer

relâcher

forcer

relâcher

repos

Remarque

L'enfant doit inspirer quand il force et expirer quand il relâche. À l'école, on peut facilement faire cette activité dehors, quand les élèves sont en rang.

L'HORLOGE SOLAIRE

Planification

Objectif: Amener l'enfant à se détendre en produisant des mouvements d'étirement et de relâchement.

Activité: Avec son corps, chaque enfant indique toutes les heures, de midi à six heures.

Préparation: Prévoir assez d'espace pour que les enfants puissent former un grand cercle sans toucher à leur voisin ou à leur voisine une fois qu'ils seront couchés et que leurs bras seront à l'horizontale. Si possible, tamiser l'éclairage.

Description du jeu

L'animatrice explique le jeu aux enfants en mimant les mouvements au besoin:

• Nous allons jouer à l'horloge solaire.

• Je commence par t'expliquer le jeu. Toi, tu écoutes et tu regardes. Ensuite, nous ferons le jeu ensemble.

• Tout d'abord, tout le monde se place en cercle et se couche sur le dos.

• Quand je dirai «Il est midi», tu placeras tes bras au-dessus de ta tête, tu les colleras ensemble et tu les étireras le plus loin possible.

• Quand je dirai qu'il est une heure, tu relâcheras, tu descendras tes bras un peu, puis tu les étireras. Tu descendras tes bras peu à peu à mesure que je t'indiquerai les heures.

• À six heures, tes bras seront de chaque côté de tes cuisses et tu te reposeras.

• Quand je te nommerai, tu imiteras un rayon de soleil qui s'étire, puis tu te lèveras doucement.

Au jeu!

L'animatrice guide les enfants au fur et à mesure:

• Tout le monde se place en cercle. Assure-toi que tu as assez d'espace pour placer tes bras à l'horizontale, puis couche-toi au sol, sur le dos.

• Il est midi, donc tu places tes bras au-dessus de ta tête, tu les colles ensemble pour indiquer midi et tu les étires le plus loin possible. Tes bras sont comme les aiguilles d'une montre.

• Maintenant, il est une heure. Le soleil commence à être un peu moins chaud, alors tu descends tes bras un peu pour indiquer une heure, puis tu les étires. (Avec les enfants qui savent lire l'heure, dire «une heure moins cinq».)

• Il est deux heures (ou deux heures moins dix), alors tu descends encore un peu tes bras.

(L'animatrice demande peu à peu aux enfants d'indiquer trois heures, quatre heures et cinq heures.)

• Maintenant, il est six heures. Tu places tes bras de chaque côté de tes cuisses et tu te reposes parce qu'au printemps, le soleil se couche vers six heures et il se lève vers six heures le lendemain matin. Quand je commencerai à nommer des amis qui sont bien reposés, c'est qu'il sera six heures du matin. (Laisser les enfants se reposer pendant quelques secondes.)

• Quand je te nomme, tu imites un rayon de soleil qui s'étire, qui se réveille. Ensuite, tu te lèves doucement.

L'HORLOGE SOLAIRE

debout   étirer

Remarque

Ce jeu est particulièrement indiqué au début du printemps.

JEU COURT DE DIX SECONDES

Planification

Objectif: Amener l'enfant à un moment de détente en peu de temps.

Activité: Chaque enfant doit se joindre les mains silencieusement pendant un court laps de temps, soit dix secondes.

Préparation: Prévoir assez d'espace pour que les enfants se sentent à l'aise dans leur environnement. Par exemple, pour un groupe d'une trentaine d'enfants, délimiter un espace ayant environ les dimensions d'un terrain de badminton (13 m x 6 m). Si possible, tamiser l'éclairage.

Description du jeu

L'animatrice explique le jeu aux enfants en mimant les mouvements au besoin:

- Nous allons jouer au jeu court de dix secondes.

- Je commence par t'expliquer le jeu. Toi, tu écoutes et tu regardes. Ensuite, nous ferons le jeu ensemble.

- C'est un jeu court: il dure seulement dix secondes!

- Quand je dirai «Un!», le jeu commencera.

- Tu resteras assis et tu pourras faire comme moi. Je placerai mes mains ensemble et je pencherai la tête vers le sol. Tu pourras fermer les yeux à demi ou au complet.

- Puis, je compterai dans ma tête jusqu'à dix. Quand je dirai: «Dix!», le jeu sera terminé. Tu te lèveras doucement et tu te dirigeras vers ta prochaine activité.

Au jeu!

- «Un!»

- (Baisser la tête vers le sol en fermant les yeux ou en les gardant mi-clos. Compter jusqu'à dix en silence.)

- «Dix!»

- Le jeu est terminé. Tu peux te lever doucement et te diriger vers ta prochaine activité.

JEU COURT DE DIX SECONDES

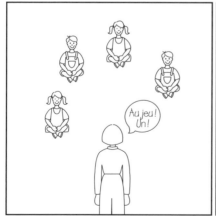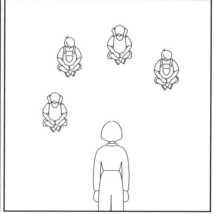

Remarque

Refaire le jeu une deuxième fois de suite, au besoin.

LE MOUCHOIR INVISIBLE

Planification

Objectif: Amener l'enfant à un état de détente par des mouvements de secousse.

Activité: Chaque enfant joue avec un mouchoir invisible enduit de colle.

Préparation: Prévoir suffisamment d'espace pour que les enfants puissent faire des mouvements de grandes amplitudes sans toucher à leur voisin ni à leur voisine. Par exemple, pour un groupe d'une trentaine d'enfants, délimiter un espace ayant environ les dimensions d'un terrain de volley-ball (18 m x 9 m). Si possible, tamiser l'éclairage.

Description du jeu

L'animatrice explique le jeu aux enfants en mimant les mouvements au besoin:

• Nous allons jouer au mouchoir invisible.

• Je commence par t'expliquer le jeu. Toi, tu écoutes et tu regardes. Ensuite, nous ferons le jeu ensemble.

• Chacun fait semblant qu'il y a un mouchoir invisible par terre à côté de lui.

• Quand je taperai trois fois des mains (ou sur le tambourin), tu ramasseras le mouchoir invisible et tu le déposeras à l'endroit que tu as choisi. Par exemple, tu peux le placer sur une ligne au sol, sur un rond près de toi, etc.

• Mais il y aura un petit problème: ce mouchoir est tout plein de colle invisible! Alors, comment pourras-tu t'en défaire? En secouant ta main énergiquement pour le faire décoller.

• Lorsque je taperai encore trois fois des mains, le mouchoir tombera finalement par terre.

• Je nommerai ensuite une autre partie de ton corps avec laquelle tu ramasseras le mouchoir, puis tu tenteras, encore une fois, de le déposer à l'endroit que tu as choisi. Par exemple, je pourrai nommer ton pied droit, ton coude gauche, ton genou gauche, etc.

• Quand je te dirai de le prendre avec tout ton corps, tu t'allongeras au sol et tu secoueras tout ton corps car tu seras collé partout. Comme il y aura beaucoup de colle, tu resteras au sol avec le mouchoir.

• Quand je vais voir que tu es complètement collé au sol, que tu ne bouges plus du tout, je vais te nommer et tu pourras aller prendre ton rang (aller à ta prochaine activité) ou tu pourras continuer à te détendre et sentir les bienfaits de ces secousses.

Au jeu!

L'animatrice guide les enfants au fur et à mesure:

• Tu choisis une place dans la salle. Assure-toi que tu as assez d'espace pour bouger sans toucher à ton voisin ni à ta voisine.

• (Taper trois fois des mains.) Tu regardes le mouchoir invisible qui est sur le sol, à côté de toi. Tu le ramasses avec ta main droite et tu le déposes près de toi à un endroit précis. Ce peut être sur une ligne, sur un rond, etc.

• Tu veux t'en défaire, mais attention! Ce mouchoir est tout collé! Tu secoues ta main, puis tu secoues encore pour t'en débarrasser.

• (Taper encore trois fois des mains.) Le mouchoir tombe finalement par terre!

• Maintenant, tu ramasses le mouchoir avec ton épaule droite. Tu veux redéposer ce mouchoir, mais il est encore tout plein de colle! Tu secoues ton épaule droite pour t'en défaire. Tu secoues encore et encore!

• (Taper trois fois des mains.) Le mouchoir tombe enfin au sol!

• Tu ramasses ce mouchoir avec ton pied gauche. Encore une fois, tu ne peux t'en débarrasser car il est tout collé. Alors, tu secoues ton pied gauche, et tu secoues.

- (Taper trois fois des mains.) Le mouchoir tombe par terre. C'est maintenant au tour de ton pied droit de le ramasser. Le mouchoir y reste collé, alors tu secoues ton pied droit pour t'en défaire.

- (Taper trois fois des mains.) Bravo! Le mouchoir tombe au sol!

- Maintenant, tu vas le prendre avec tout ton corps en t'allongeant au sol. Tu secoues tout ton corps, tu l'agites bien car il est collé de la tête aux pieds.

- Tu n'as plus d'énergie. Tu restes collé au sol avec le mouchoir. Tu ne bouges plus. Tu te reposes. (Laisser les enfants ainsi pendant quelques secondes.)

- Lorsque je te nomme, tu peux te lever et te diriger vers ta prochaine activité ou tu peux rester étendu au sol encore quelques minutes.

- Le jeu est maintenant terminé. Tous les amis se lèvent doucement.

LE MOUCHOIR INVISIBLE

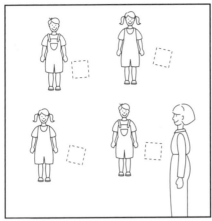

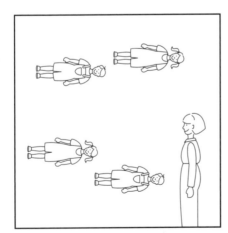

repos

Remarque

Quand on nomme une partie de la tête, il faut signaler aux enfants de secouer douce-ment pour éviter les étour-dissements.

LA MUSIQUE ET SES INSTRUMENTS

Planification

Objectif: Amener l'enfant à un état de tranquillité par des mouvements très énergiques, puis par des mouvements plus légers.

Activité: Chaque enfant crée sa propre musique à partir d'instruments imaginaires.

Préparation: Prévoir assez d'espace pour que les enfants puissent se déplacer à leur aise et bouger sans toucher à leur voisin ni à leur voisine. Par exemple, pour un groupe d'une trentaine d'enfants, délimiter un espace ayant environ les dimensions d'un terrain de volley-ball (18 m x 9 m). Si possible, tamiser l'éclairage.

Description du jeu

L'animatrice explique le jeu aux enfants en mimant les mouvements au besoin:

• Nous allons jouer à la musique et ses instruments.

• Nomme-moi différentes sortes d'instruments de musique. (Réponses: guitare, piano, flûte, batterie, violon, trompette...)

• Nomme-moi différentes sortes de musique, par exemple de la musique rock, de la musique douce. (Réponses: de la musique classique, de la musique forte, du rap...)

• Maintenant, je t'explique le jeu. Toi, tu écoutes et tu regardes. Ensuite, nous ferons le jeu ensemble.

• Je vais nommer un instrument et une sorte de musique, par exemple, une guitare douce.

• Toi, tu feras semblant qu'il y a une guitare dans tes mains et tu en joueras doucement.

• Quand je vais siffler (ou taper sur le tambourin), ce sera le temps de changer d'instrument et de style de musique.

• Le jeu va se terminer par une musique de piano très douce. La musique sera si douce que le pianiste va s'endormir sur son clavier.

• Tu vas imiter ce pianiste et tu va faire semblant de t'endormir. Tu peux garder les yeux ouverts ou tu peux les fermer, comme tu le préfères. L'important, c'est que tu ne bouges pas. Je vais te toucher l'épaule avec ma main et tu pourras, à ton tour, aller toucher l'épaule d'un ou d'une camarade avant d'aller prendre ton rang (ou de te diriger vers ta prochaine activité).

Au jeu!

L'animatrice guide les enfants au fur et à mesure:

• Nous commençons par jouer de la flûte doucement.

• Tu fais semblant que tu as une flûte et tu joues une mélodie toute douce. Tu peux te promener avec ta flûte. Je peux t'entendre produire des sons très doux.

• (Coup de sifflet ou de tambourin) Maintenant, tu joues de la trompette, fort.

• (Coup de sifflet ou de tambourin) Tu te mets à jouer du tambour très fort. J'entends bien tes coups de tambour!

• (Coup de sifflet ou de tambourin) Maintenant, c'est le moment de jouer du piano assis ou debout. Tu en joues très, très doucement.

• Tu joues encore plus doucement. Je ne dois presque rien entendre.

• Comme la musique est toute douce, tu t'endors. Tu fais semblant de t'endormir sur ton clavier. Tu peux garder les yeux ouverts ou tu peux les fermer, comme tu le veux.

• Maintenant, tu ne fais plus de bruit et tu ne bouges plus.

• Quand je vois que tu es bien immobile, je vais te réveiller doucement en te touchant l'épaule. Cela signifie que tu peux te lever tranquillement et, à ton tour, aller toucher l'épaule d'un ou d'une camarade qui fait semblant de dormir.

• Finalement, tu vas prendre ton rang calmement (ou tu te rends à ta prochaine activité).

LA MUSIQUE ET SES INSTRUMENTS

Remarque

Autres exemples d'associations: de la guitare classique et douce, de la flûte traversière très douce, du saxophone de jazz très rythmé, etc.

LES NUAGES

Planification

Objectif: Amener l'enfant à un état de repos par des mouvements rythmés.

Activité: L'enfant imite un ciel nuageux, puis, progressivement, un ciel complètement bleu.

Préparation: Prévoir un espace assez grand pour que les enfants puissent se coucher et bouger jambes et bras sans toucher à leur voisin ou à leur voisine. Par exemple, pour un groupe d'une trentaine d'enfants, délimiter un espace ayant environ les dimensions d'un terrain de badminton (13 m x 6 m). Si possible, tamiser l'éclairage.

Description du jeu

L'animatrice explique le jeu aux enfants en mimant les mouvements au besoin:

- Nous allons jouer aux nuages.

- Je commence par t'expliquer le jeu. Toi, tu écoutes et tu regardes. Ensuite, nous ferons le jeu ensemble.

- Pour faire ce jeu, tu te placeras comme tu le veux: tu pourras t'asseoir, te coucher, être debout... et tu imiteras un nuage.

- Quand je taperai des mains, cela voudra dire que le vent souffle et qu'il déplace les nuages. Tu te déplaceras comme tu le veux: en roulant, en marchant, en glissant, au rythme du bruit de mes mains.

• Lorsque j'arrêterai de taper des mains, il n'y aura plus de vent et tous les nuages seront partis. Il ne restera que le ciel bleu. Alors, tu feras le ciel bleu qui est calme, qui ne bouge pas. Tu seras allongé sur le dos, les bras de chaque côté de tes cuisses et les jambes décroisées. Tu te reposeras.

• Quand je te nommerai, tu redeviendras un nuage et tu te lèveras.

Au jeu!

L'animatrice guide les enfants au fur et à mesure:

• Nomme-moi des formes de nuages (Réponses: en boule, pointus, allongés, etc.), des grosseurs de nuages (Réponses: petits, moyens, grands, énormes, mini, etc.). Parfois, les nuages forment des dessins. Nomme-moi des dessins de nuages (Réponses: un chapeau, un mouton, un fil, etc.).

• Maintenant, tu te choisis une place et tu imites un nuage. Tu peux t'asseoir en boule, t'allonger au sol, avoir les jambes courbées et les bras allongés, tu peux être debout... C'est toi qui décides.

• Quand je taperai des mains, un grand vent soufflera et déplacera les nuages.

• (Taper des mains.) Le vent souffle et toi, tu te déplaces comme tu le veux au rythme du bruit de mes mains. Tu peux marcher, glisser, rouler... Chacun fait à sa guise.

• Quand j'arrêterai de taper des mains, cela voudra dire que le vent cesse de souffler et que tous les nuages seront partis.

• Voilà! il n'y a plus de vent. Il ne reste que le ciel bleu! Un ciel bleu tout calme. Pour imiter ce ciel, tu te couches sur le dos, les jambes décroisées, les bras placés de chaque côté de tes cuisses, et tu te détends. (Laisser les enfants se reposer pendant quelques instants.)

• Quand je te nomme, tu deviens un petit nuage et tu te lèves doucement pour passer dans le ciel bleu. Tu peux ensuite te diriger vers la prochaine activité.

LES NUAGES

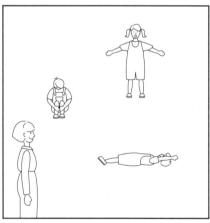

nuages

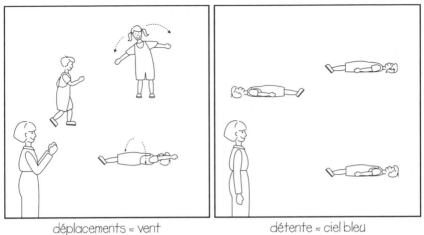

déplacements = vent

détente = ciel bleu

Remarque

Ce jeu convient particulièrement lorsque le ciel est nuageux.

L'ORAGE

Planification

Objectif: Amener l'enfant à libérer de la tension par des mouvements de contraction et de relâchement.

Activité: Chaque enfant mime l'orage, puis l'état de calme après la tempête.

Préparation: Prévoir assez d'espace pour que les enfants, une fois placés debout et en rond, puissent bouger librement sans toucher à leur voisin ou à leur voisine. Si possible, tamiser l'éclairage.

Description du jeu

L'animatrice explique le jeu aux enfants en mimant les mouvements au besoin:

- Nous allons jouer à l'orage.

- Je commence par t'expliquer le jeu. Toi, tu écoutes et tu regardes. Ensuite, nous ferons le jeu ensemble.

- Pour débuter, on se place en cercle.

- Je vais raconter le déroulement de l'orage et toi, au fur et à mesure, tu vas imiter l'orage. Tu vas bouger de toutes sortes de manières en restant sur place. Tu vas faire la pluie, le tonnerre, l'éclair.

• Quand il n'y aura plus de nuages dans le ciel, tu t'allongeras au sol et tu imiteras un rayon de soleil.

• Quand je verrai que tu es détendu, je te nommerai et tu te lèveras calmement.

Au jeu!

L'animatrice guide les enfants au fur et à mesure:

• On se place debout en rond. Assure-toi d'avoir assez d'espace pour bouger librement sans toucher à ton voisin ou à ta voisine.

• Je raconte l'orage et toi, tu fais les gestes de l'orage. Tu peux bouger comme tu le veux en restant sur place.

• Comment pourrais-tu faire la pluie? En marchant sur place, en tapant tes mains sur les cuisses, etc.

• Qu'est-ce qu'il y a en plus quand il y a un orage? (Réponse: il y a du tonnerre et des éclairs.)

• Maintenant, la pluie commence à tomber doucement. Tu fais la pluie avec tes pieds ou avec tes mains sur les cuisses.

• La pluie tombe plus fort. Tu marches plus fort ou tu tapes plus fort.

• La pluie tombe encore plus fort et plus vite. Tu vas encore plus vite. Plus vite, plus fort.

• Soudain, il y a un gros coup de tonnerre. Tu peux faire le bruit avec ta voix. Tu peux aussi sauter très fort. C'est toi qui décides.

• La pluie continue de tomber.

• Maintenant, il y a un éclair. Tu peux faire l'éclair en allongeant tes bras de chaque côté, puis en haut et en bas.

• Un autre coup de tonnerre.

• Un autre éclair.

• Et la pluie continue de tomber...

• Maintenant, la pluie tombe de plus en plus lentement... Encore plus lentement.

• Puis, il n'y a plus de nuages. La pluie est finie. Le ciel est devenu tout bleu et le soleil brille. Tu t'allonges au sol et tu es un rayon de soleil tout calme.

• C'est le calme après la tempête. Chaque rayon de soleil est détendu. Il se repose.

• Quand je vois que tu es bien détendu, je te nomme et tu te lèves calmement, en silence.

L'ORAGE

LE PAPILLON

Planification

Objectif: Amener l'enfant à un état de tranquillité par l'étirement du corps entier, suivi d'un relâchement total.

Activité: Chaque enfant prend la forme des différentes phases du papillon.

Préparation: Prévoir assez d'espace pour que les enfants puissent s'allonger au sol et bouger sans toucher à leur voisin ou à leur voisine. Par exemple, pour un groupe d'une trentaine d'enfants, délimiter un espace ayant environ les dimensions d'un terrain de badminton (13 m x 6 m). Si possible, tamiser l'éclairage.

Description du jeu

L'animatrice explique le jeu aux enfants en mimant les mouvements au besoin:

- Nous allons jouer au papillon.

- Je commence par t'expliquer le jeu. Toi, tu écoutes et tu regardes. Ensuite, nous ferons le jeu ensemble.

- Au début, tu t'assois.

- Quelqu'un peut-il me dire quelles sont les phases du papillon? (Réponse: cocon, chenille, papillon.)

• Je vais nommer les phases du papillon et tu vas les imiter, une à une. Je te dirai comment faire.

Au jeu!

L'animatrice guide les enfants au fur et à mesure:

• Tu t'assois en laissant assez d'espace autour de toi pour pouvoir étirer tes bras sans toucher à ton voisin ou à ta voisine.

• Maintenant, tu vas imiter les différentes phases du papillon à mesure que je les nomme.

• Cocon! Tu te places en boule comme un cocon. Tu places tes cuisses sur ta poitrine, les bras autour de tes jambes, le front posé sur tes genoux. Tu fais le cocon.

• Chenille! Lentement, tu commences à t'allonger, puis tu t'étires complètement. Tu relâches et tu restes allongé au sol.

• Quand je dis «Papillon» et ton nom, tu te lèves doucement. Tu fais le papillon, tes bras deviennent des ailes. Puis tu retournes t'asseoir lentement. Papillon!

LE PAPILLON

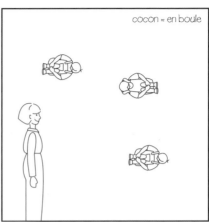

LA PÊCHE

Planification

Objectif: Amener l'enfant à la détente en passant de la mobilité à l'immobilité.

Activité: Chaque enfant joue comme un poisson dans l'eau et se cache dans l'océan quand un bateau arrive.

Préparation: Prévoir assez d'espace pour que les enfants puissent se déplacer sans toucher aux autres. Par exemple, pour un groupe d'une trentaine d'enfants, un espace ayant environ les dimensions d'un terrain de volley-ball (18 m x 9 m) convient. Si vous disposez d'un espace plus grand, vous pouvez en profiter. Comme les enfants iront se cacher derrière les algues et les coquillages, placer quelques objets sur le terrain ou mentionner que ces éléments sont représentés par les lignes du gymnase, par exemple. Si possible, tamiser l'éclairage.

Description du jeu

L'animatrice explique le jeu aux enfants en mimant les mouvements au besoin:

- Nous allons jouer à la pêche.

- Je commence par t'expliquer le jeu. Toi, tu écoutes et tu regardes. Ensuite, nous ferons le jeu ensemble.

- Tout l'espace (gymnase, salle de jeu, cour, etc.) représente l'océan. Et toi, tu es un poisson. Avec les autres poissons, tu pourras nager, sauter, jouer dans l'océan.

• À un moment donné, un bateau de pêche arrivera. Je taperai trois fois dans mes mains et je dirai «Bateau!» pour le signaler.

• Avec les autres poissons, tu iras te cacher dans les algues et les coquillages. (Indiquer ce qui représente les coquillages et les algues.)

• Le pêcheur ira à la pêche et choisira son poisson préféré en lui touchant la queue. Son poisson préféré, c'est celui qui est bien caché, qui ne bouge plus. C'est moi qui ferai le pêcheur.

• Le poisson choisi deviendra à son tour un pêcheur et il ira toucher la queue d'un autre poisson, puis il ira s'asseoir (ou s'étendre, ou prendre son rang) en silence.

Au jeu!

L'animatrice guide les enfants au fur et à mesure:

• Tu es un poisson et tu peux nager, sauter, jouer dans tout l'océan. (Laisser les enfants bouger pendant quelques instants, puis taper trois fois des mains.)

• Bateau! Tous les poissons vont se cacher derrière les algues et les coquillages.

• Le pêcheur va choisir son poisson préféré, celui qui est bien caché et ne bouge plus. (L'animatrice va toucher avec sa main le bout du pied du poisson qu'elle choisit.)

• Le poisson choisi devient un pêcheur et va à son tour toucher la queue d'un poisson. Avec sa main, il touchera le pied d'une amie ou d'un ami. Ensuite, il va s'asseoir en silence et se repose jusqu'à tant qu'il n'y ait plus de poissons à pêcher.

LA PÊCHE

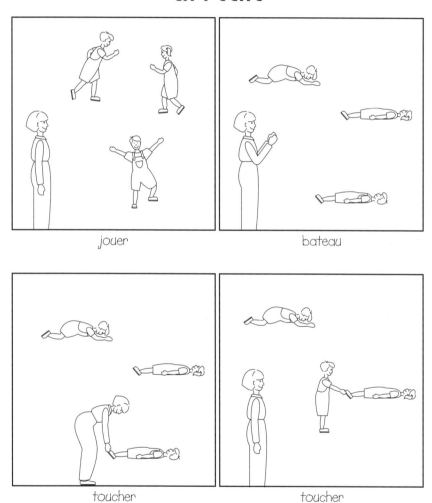

jouer

bateau

toucher

toucher

LA PÊCHE EN CHALOUPE

Planification

Objectif: Amener les enfants à se détendre en exécutant des mouvements de contraction et de relâchement.

Activité: Chaque enfant est un pêcheur silencieux qui attrape de gros poissons.

Préparation: Prévoir suffisamment d'espace pour que les enfants puissent faire de grands mouvements avec leurs bras sans se toucher l'un l'autre. Par exemple, pour un groupe d'une trentaine d'enfants, délimiter un espace ayant environ les dimensions d'un terrain de volley-ball (18 m x 9 m). Si possible, tamiser l'éclairage.

Description du jeu

L'animatrice explique le jeu aux enfants en mimant les mouvements au besoin:

* Nous allons jouer à la pêche en chaloupe.

* Je commence par t'expliquer le jeu. Toi, tu écoutes et tu regardes. Ensuite, nous ferons le jeu ensemble.

* Tout l'espace de jeu représente un grand lac rempli de poissons.

* Quand je vais dire «Au jeu!», tu mettras ton gilet de sauvetage. Ensuite, tu feras semblant d'embarquer dans une

chaloupe, puis de ramer sur le lac. (Les premières fois, demander aux enfants d'être seuls dans leur chaloupe.)

• À un moment donné, quand tu le décideras, tu cesseras de ramer pour pêcher. Tu sortiras ta ligne à pêche, tu y accrocheras un ver et tu la lanceras à l'eau. Puis, tu observeras attentivement et en silence s'il y a un poisson qui mord à l'hameçon. À la pêche, pourquoi doit-on garder le silence? (Réponse: parce que le bruit fait fuir les poissons.)

• Quand je verrai que tous les pêcheurs sont silencieux, je frapperai trois fois des mains pour t'indiquer qu'il y a un poisson au bout de ta ligne. Plus je frapperai fort, plus le poisson sera gros. Si ton poisson est gros ou même très gros, je veux te voir tirer sur ta ligne bien fort pour la sortir de l'eau. Je veux te voir forcer. Je veux voir tes bras et tes jambes durs, durs. Avec ces efforts, tu pourras enfin sortir ta ligne de l'eau, puis tu pourras décrocher ton poisson.

• Ensuite, tu te remettras à pêcher pour attraper un autre poisson. Tu en profiteras pour te détendre, pour relâcher les muscles de tes bras et de tes jambes.

• Quand je dirai «Le poisson ne mord plus!», tu pourras ranger ta canne à pêche, revenir au bord du lac et descendre de ta chaloupe.

• Le jeu sera alors terminé. Tu pourras aller t'asseoir en cercle ou prendre ta place dans le rang.

Au jeu!

L'animatrice guide les enfants au fur et à mesure:

• Au jeu!

• Tu mets ton gilet de sauvetage. Tu montes dans ta chaloupe, tu te places à genoux pour ne pas verser dans l'eau et tu rames sur le lac. (Laisser aux enfants quelques secondes pour trouver leur endroit de prédilection.)

• Quand tu as trouvé un endroit tranquille et à ton goût, tu arrêtes de ramer et tu lances ta ligne à l'eau.

• Tu pêches en observant attentivement et en te rappelant que l'on pêche en silence. (Laisser les enfants pêcher en silence pendant quelques secondes.)

• (Taper des mains trois fois pas trop fort.) Il y a un poisson, il est moyennement gros. Tu tires ta ligne en forçant moyennement et tu le décroches.

• Tu relances ta ligne à l'eau et tu continues à pêcher calmement.

• (Quand le silence est revenu, taper trois fois des mains, plus fort que la première fois). Ah! Il y a un autre poisson, plus gros cette fois-ci. Tu tires ta ligne et tu forces, tu forces. Je vois des bras durs et des jambes dures. Tu forces pour amener le poisson jusqu'à toi, puis tu le décroches de ta ligne.

• Tu lances de nouveau ta ligne à l'eau et tu continues à pêcher. Tu en profites pour te détendre, pour relâcher tes muscles.

• (Frapper des mains plus ou moins fort encore deux ou trois fois.)

• Le poisson ne mord plus! Il est temps de ranger ta canne à pêche et de ramener ta chaloupe au bord du lac. (Laisser quelques secondes aux enfants pour serrer canne à pêche et chaloupe.)

• Le jeu est terminé. (Demander aux enfants d'aller s'asseoir en cercle, de se mettre en rang, de se diriger doucement vers leur prochaine activité, etc.)

LA PÊCHE EN CHALOUPE

calme, repos

effort   calme, repos

LE *POPSICLE*

Planification

Objectif: Amener l'enfant au répit par des mouvements de contraction et de relâchement.

Activité: Chaque enfant s'exclame qu'il a chaud, puis il devient un *popsicle* et le fait fondre.

Préparation: Prévoir assez d'espace pour que les enfants puissent faire du jogging à leur aise. Par exemple, pour un groupe d'une trentaine d'enfants, délimiter un espace ayant environ les dimensions d'un terrain de volley-ball (18 m x 9 m). Si possible, tamiser l'éclairage.

Description du jeu

L'animatrice explique le jeu aux enfants en mimant les mouvements au besoin:

- Nous allons jouer au *popsicle*.

- Je commence par t'expliquer le jeu. Toi, tu écoutes et tu regardes. Ensuite, nous ferons le jeu ensemble.

- Au début, tu te promènes comme tu le veux. Tu peux faire du jogging, des pas chassés, des sauts...

- Ensuite, je taperai trois fois dans mes mains et je dirai «Soleil!». Tout le monde ensemble dira «Ah! j'ai chaud!».

• Alors, je dirai «*Popsicle!*» et tu feras le *popsicle*, debout, bien droit.

• Quand tout le monde imitera un beau *popsicle*, c'est moi qui dirai «Ah! j'ai chaud!» et tous les *popsicle* se mettront à fondre jusqu'à ce qu'ils soient tout en jus. En fondant, tu plieras ton corps, puis tu t'allongeras au sol.

• Quand je verrai que tu es bien détendu, je te nommerai et tu pourras te lever ou continuer à te reposer jusqu'à ce que je joue de la flûte (ou utiliser tout autre signal convenu).

Au jeu!

L'animatrice guide les enfants au fur et à mesure:

• Tu te déplaces comme tu le veux au soleil. Tu peux faire du jogging, des pas chassés, des sauts de cloche ou de grenouille... (Laisser les enfant bouger ainsi pendant quelques instants, puis taper des mains trois fois.)

• Soleil! Tout le monde dit «Ah! j'ai chaud!». (Laisser à tous les enfants le temps de s'exprimer.)

• *Popsicle*! Tu fais le *popsicle*: debout, bien droit, très dur, les bras de chaque côté de ton corps.

• Maintenant que tout le monde est devenu un *popsicle*, c'est moi qui dis «Ah! j'ai chaud!».

• Tu te mets à fondre doucement. Tu laisses tomber lentement ta tête, tes épaules, ton corps, tu plies tes genoux et tu t'allonges au sol. Le *popsicle* est tout en jus. Tes bras sont mous, mous, mous; tes jambes sont molles, molles, molles...

• Je te laisse une petite minute pour te détendre, pour te relaxer.

• Quand je te nomme, tu peux te lever ou tu peux rester couché et continuer à te reposer; c'est toi qui décides. Quand je jouerai de la flûte (ou faire tout autre signe convenu), tout le monde se lèvera et l'exercice sera terminé.

LE *POPSICLE*

bouger   parler

geler

fondre

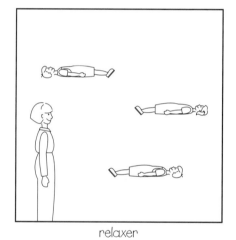

relaxer

LE PRINTEMPS

Planification

Objectif: Amener les enfants à un état de relaxation par des mouvements de contraction et de relâchement.

Activité: Chaque enfant est un monument de glace qui fond lentement et devient une petite fleur du printemps.

Préparation: Prévoir assez d'espace pour que les enfants puissent faire du jogging à leur aise. Par exemple, pour un groupe d'une trentaine d'enfants, délimiter un espace ayant environ les dimensions d'un terrain de volley-ball (18 m x 9 m). Si possible, tamiser l'éclairage.

Description du jeu

L'animatrice explique le jeu aux enfants en mimant les mouvements au besoin:

- Nous allons jouer au printemps.

- Qu'est-ce qui se passe au printemps? (Réponses: il y a des bourgeons. La neige fond. Les fleurs commencent à pousser. Le soleil est plus chaud. Il y a des jours froids et des jours plus chauds. Les journées allongent.)

- Maintenant, je vais t'expliquer le jeu du printemps. Toi, tu écoutes et tu regardes. Ensuite, nous ferons le jeu ensemble.

• Quand je dirai «Au jeu!», tu te mettras à bouger. Tu pourras faire du jogging, des pas chassés; tu pourras imiter le kangourou, le lapin, la grenouille, tu pourras danser...

• Quand je dirai «Gel», tu te changeras en bloc de glace. Tu seras debout et tu serreras les poings et les bras très fort. Tu seras gelé, gelé.

• Quand je dirai «Dégel!», tu te mettras à fondre en laissant tomber tes doigts, tes mains, tes épaules et ta tête.

• Ensuite, tu seras à nouveau le bloc de glace lorsque je te le dirai. Après, tu fondras jusqu'à t'allonger au sol, tout mou.

• Quand tu seras bien fondu, je nommerai ton nom et tu deviendras une petite fleur. Tu te lèveras lentement.

Au jeu!

• Au jeu! Tu te déplaces comme tu le veux. Tu peux faire le kangourou, le lapin, la grenouille, tu peux danser, sauter ou faire du jogging. C'est toi qui décides.

• Gel! Tu gèles sur place! Tes bras deviennent durs, durs et tu sers les poings très fort. Tu es gelé, gelé, gelé.

• Dégel! Lentement, tu commences à fondre. Tu laisses tomber tes doigts, tes mains, tes épaules et ta tête.

• Gel! Tu gèles où tu es rendu. Tu deviens dur, dur, dur. Tu serres les poings fort, plus fort.

• Dégel! Tu continues à fondre. Tu peux plier les genoux lentement et t'allonger au sol.

• Gel! Tu gèles où tu es rendu.

• Dégel! Tu fonds complètement. C'est tout mou, mou, mou, mou. Ton bloc de glace est devenu tout en eau. Il est complètement fondu.

• Quand je vois que tu es tout fondu, que tes bras sont mous, que tes jambes sont molles, je te nomme et tu deviens une petite fleur du printemps. Tu te lèves lentement, tes bras forment une fleur. Tu continues à te détendre jusqu'à ce que je joue du tambourin (ou utiliser tout autre signal convenu) pour dire que le jeu est fini.

LE PRINTEMPS

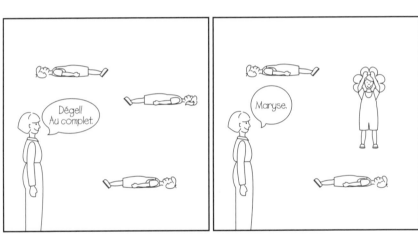

Remarque

Ce jeu est particulièrement indiqué au printemps, lorsque la température se réchauffe.

LES QUESTIONS

Planification

Objectif: Amener l'enfant à se délasser par des mouvements d'étirement, de relâchement et d'affaissement.

Activité: Chaque enfant répond individuellement aux questions par un signe et en silence.

Préparation: Prévoir assez d'espace pour que les enfants puissent s'étirer dans tous les sens sans toucher à leur voisin ou à leur voisine. Par exemple, pour un groupe d'une trentaine d'enfants, délimiter un espace ayant environ les dimensions d'un terrain de volley-ball (18 m x 9 m). Si possible, tamiser l'éclairage.

Description du jeu

L'animatrice explique le jeu aux enfants en mimant les mouvements au besoin:

- Nous allons jouer aux questions.

- Je commence par t'expliquer le jeu. Toi, tu écoutes et tu regardes. Ensuite, nous ferons le jeu ensemble.

- Au début, tout le monde est debout.

- Je vais te poser des questions et tu répondras en faisant un signe exagéré. Voici les signes:

- Pour dire «Je ne le sais pas», tu lèveras les épaules.

- Pour dire «Oui», tu t'étireras vers le haut.

- Pour dire «Non», tu laisseras tomber ton corps vers l'avant en pliant un peu les genoux.

- Quand je dirai une phrase contenant le mot «peut-être», par exemple «Demain, c'est congé; j'irai peut-être au cinéma», tu te placeras debout, les bras de chaque côté du corps, le dos bien droit, la tête bien droite, les épaules relâchées.

- Finalement, quand je taperai dans les mains, tu pourras marcher lentement. Le jeu sera terminé.

Au jeu!

L'animatrice compose des questions pour obtenir les réponses voulues. Elle guide les enfants au fur et à mesure en rappelant les gestes à faire.

LES QUESTIONS

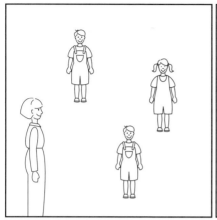

Exemples

- Aimes-tu les pommes?

- Es-tu déjà allé à la ferme?

- Aimes-tu faire de la bicyclette?

- As-tu bu du lait, aujourd'hui?

RÉVEILLEZ L'OURS

Planification

Objectif: Amener l'enfant à un état de calme par l'im-mobilité.

Activité: Chaque enfant devient un ours qui hiberne.

Préparation: Prévoir assez d'espace pour que chaque enfant puisse s'allonger au sol sans toucher à son voisin ou à sa voisine. Par exemple, pour une trentaine d'enfants, délimiter un espace ayant environ les dimensions d'un terrain de badminton (13 m x 6 m). Si possible, tamiser l'éclairage.

Description du jeu

L'animatrice explique le jeu aux enfants en mimant les mouvements au besoin:

• Nous allons jouer à réveillez l'ours.

• Tu sais ce qu'est un ours. Qu'est-ce que ça fait en hiver, un ours? (Réponse: il dort; il hiberne.)

• Pour imiter l'ours, tu te coucheras au sol. Moi, je ferai le loup. Je me promènerai dans la forêt et tu feras semblant de dormir comme un ours.

• Je chercherai un ours qui ne bouge pas, car j'aurai faim et je voudrai le manger. Quand je verrai un ours qui ne bouge pas du tout, je lui toucherai doucement le bout du pied, mais dès que je le toucherai, l'ours se réveillera. Il se lèvera doucement et deviendra un loup. Moi, je prendrai sa place et je deviendrai un ours qui dort.

• À son tour, le loup ira toucher doucement le bout du pied d'un ours qui ne bouge pas. L'ours se lèvera et changera de place avec le loup: l'ours deviendra un loup et le loup deviendra un ours et se couchera.

• Après quelques minutes, quand je le dirai, tout le monde redeviendra un ours et se reposera pendant quelques instants. Ensuite, quand je le dirai, tu pourras te lever.

• Chaque loup se promène pendant dix secondes environ.

Au jeu!

L'animatrice guide les enfants au fur et à mesure:

• Tu t'allonges au sol. Assure-toi d'avoir assez d'espace pour bien t'étendre sans toucher à ton voisin ou à ta voisine.

• Je suis le loup. (Après dix secondes, toucher doucement le pied d'un enfant immobile.)

• Maintenant, l'ours devient le loup, et moi, je me couche à sa place. Le nouveau loup se promène dans la forêt pendant quelques secondes et touche le pied d'un ours. (Continuer ainsi pendant quelques minutes.)

• Maintenant, tout le monde redevient un ours. (Laisser les enfants se reposer pendant quelques secondes.)

• Tu peux te lever doucement. Le jeu est terminé.

RÉVEILLEZ L'OURS

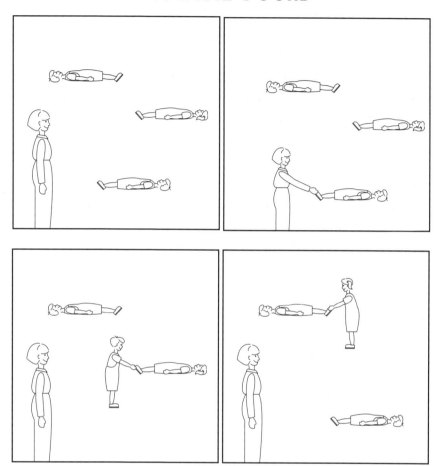

Remarque

L'animatrice peut faire un loup ou elle peut rester debout à observer le jeu et à guider les enfants. Il peut y avoir plusieurs loups en même temps.

LE SOLEIL

Planification

Objectif: Amener l'enfant à un état de détente par l'adoption d'une position de relâchement.

Activité: Chaque enfant simule un rayon de soleil.

Préparation: Prévoir assez d'espace pour que les enfants puissent s'allonger au sol sans toucher à leur voisin ni à leur voisine. Par exemple, pour un groupe d'une trentaine d'enfants, délimiter un espace ayant environ les dimensions d'un terrain de badminton (13 m x 6 m). Si possible, tamiser l'éclairage.

Description du jeu

L'animatrice explique le jeu aux enfants en mimant les mouvements au besoin:

- Nous allons jouer au soleil!

- Je commence par t'expliquer le jeu. Toi, tu écoutes et tu regardes. Ensuite, nous ferons le jeu ensemble.

- Chacun de nous va imiter un rayon de soleil. Nous allons nous allonger autour du cercle (celui qui est tracé au sol ou en former un imaginaire avec les enfants) et nous allons diriger nos pieds vers le centre.

• La nuit, le soleil se repose. Ses rayons restent allongés sans bouger. Mais le soleil a très hâte de se lever. Alors, il y a un rayon qui se pointe à l'horizon pour voir si le jour est arrivé. Le rayon se promène, il regarde, mais comme c'est encore la nuit, il retourne se reposer à sa place. Une fois qu'il est bien allongé, il touche doucement le bout d'un doigt de son voisin de gauche.

• Le rayon touché se lève à son tour et va voir, lui aussi, si le jour est levé. Il se promène, il regarde et non! ce n'est pas encore le jour. Il retourne se reposer près d'un rayon qui est immobile.

• Quand je vais taper trois fois des mains, cela voudra dire que le jour est arrivé! Le soleil pourra enfin se lever! Chaque rayon, quand il sera prêt, va s'étirer, se lever et ira à sa prochaine activité.

Au jeu!

L'animatrice guide les enfants au fur et à mesure:

• Tu te choisis une place autour du soleil. Tu t'allonges et tu imites un rayon de soleil.

• Comme c'est la nuit, le soleil dort. Ses rayons ne bougent plus du tout. Le premier rayon qui ira se promener pour voir si le jour est arrivé est complètement immobile.

• Je choisis Joël. Joël se lève et se promène… Il voit que le jour n'est pas arrivé et il retourne se reposer. Une fois qu'il est bien étendu, il touche le bout du doigt de sa voisine de gauche.

• Marie se lève et se promène. Elle regarde bien et en silence pour voir si le jour est arrivé. Non! il n'est pas encore là! Marie retourne s'allonger à sa place pour se reposer et elle touche le bout du doigt de son voisin de gauche. (Continuer le jeu pendant quelques minutes, puis taper des mains trois fois.)

• Le jour est arrivé. Le soleil peut maintenant se lever!

• Quand tu es prêt, tu te lèves lentement et tu te diriges vers ta prochaine activité.

LE SOLEIL

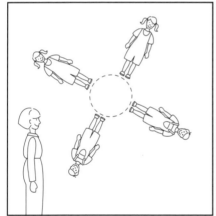 

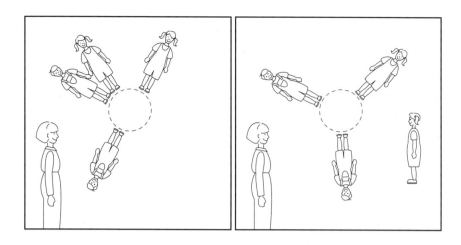

Remarque

Si l'enfant se promène trop longtemps, lui dire qu'il lui reste cinq secondes pour choisir un ami. S'il hésite toujours, choisir pour lui.

LA SOUPE CHAUDE

Planification

Objectif: Amener l'enfant à la tranquillité en utilisant la respiration.

Activité: Chaque enfant fait semblant de manger une soupe chaude, mais pas brûlante.

Préparation: Prévoir assez d'espace pour que les enfants puissent bouger sans toucher à leur voisin ou à leur voisine. Par exemple, pour un groupe d'une trentaine d'enfants, délimiter un espace ayant environ les dimensions d'un terrain de badminton (13 m x 6 m). Si possible, tamiser l'éclairage.

Description du jeu

L'animatrice explique le jeu aux enfants en mimant les mouvements au besoin:

- Nous allons jouer à la soupe chaude.

- Je commence par t'expliquer le jeu. Toi, tu écoutes et tu regardes. Ensuite, nous ferons le jeu ensemble.

- Au début, vous formez deux groupes, et chaque groupe se place en ligne. Ensuite, vous vous assoirez côte à côte.

- Ensuite, chacun fera semblant qu'il a un bol de soupe brûlante entre les mains.

• Quand je dirai «Attention! la soupe est brûlante!», tu souffleras doucement sur ta soupe pour la refroidir. Quand tu souffleras, tes épaules descendront et ton ventre deviendra plat ou il se creusera.

• Quand je dirai «C'est encore trop chaud!», tu reprendras une grande inspiration et tu souffleras doucement sur ta soupe.

• Quand je dirai «Maintenant, la soupe est juste à point!», tu répondras «Hummm!», puis tu lèveras tes bras et tu boiras ta soupe d'un seul coup.

• Lorsque tu auras bu toute ta soupe, tu déposeras ton bol devant toi en expirant. Tu pourras faire un bruit avec ta bouche tout en restant poli et tu croiseras tes bras.

• Quand tout le monde aura terminé son bol et croisé ses bras, je frapperai des mains trois fois et tu te lèveras.

Au jeu!

L'animatrice guide les enfants au fur et à mesure:

• Formez deux groupes et placez-vous en ligne. Ensuite, vous vous assoyez côte à côte sans toucher au voisin ou à la voisine. Les jambes sont croisées.

• Maintenant, tu fais semblant que tu as un bol de soupe très chaude entre les mains.

• Attention! la soupe est brûlante! Tu prends une grande inspiration en gonflant ton ventre et en levant tes épaules. (Attendre trois ou quatre secondes.)

• Maintenant, tu souffles doucement sur ta soupe pour la faire refroidir. En soufflant, tes épaules descendent et ton ventre devient plat ou il se creuse.

• C'est encore trop chaud! Tu reprends une grande inspiration et tu souffles doucement sur ta soupe.

(Refaire l'exercice trois ou quatre fois.)

• Maintenant, la soupe est juste à point! Tu fais «Hummm!» en levant ton bol. Tu bois ta soupe en prenant une grande inspiration et en gonflant ton ventre.

• Quand tu as bu toute ta soupe, tu déposes ton bol devant toi. Tu descends doucement tes bras en expirant et en creusant ton ventre. Tu peux faire du bruit avec ta bouche tout en restant poli. Ensuite, tu croises tes bras.

• Quand tout le monde aura terminé son bol et aura les bras croisés, je taperai des mains trois fois et tu pourras te lever. Tap! tap! tap!

LA SOUPE CHAUDE

souffler = expirer

respirer normalement

manger

bras croisés

LE TIC-TAC

Planification

Objectif: Amener les enfants à un état de calme par des mouvements de balancement.

Activité: Chaque enfant imite le pendule de l'horloge grand-père.

Préparation: Prévoir assez d'espace pour que les enfants puissent se balancer sans toucher à leur voisin ni à leur voisine. Par exemple, pour un groupe d'une trentaine d'enfants, délimiter un espace ayant environ les dimensions d'un terrain de badminton (13 m x 6 m). Si possible, tamiser l'éclairage.

Description du jeu

L'animatrice explique le jeu aux enfants en mimant les mouvements au besoin:

- Nous allons jouer au tic-tac de l'horloge grand-père.

- Je commence par t'expliquer le jeu. Toi, tu écoutes et tu regardes. Ensuite, nous ferons le jeu ensemble.

- Qu'est-ce qu'une horloge grand-père? (Réponse: c'est une horloge qui est dans une grosse et haute boîte en bois, et qui a un pendule.) Le pendule, c'est une tige de métal avec un rond en bas. Chaque seconde, il bouge de gauche à droite, de droite à gauche. On peut entendre le bruit qu'il fait: tic-tac, tic-tac.

• Je vais nommer un nombre de secondes et tu vas imiter le pendule avec ton corps. Par exemple, quand je dirai «Deux secondes!», tu bougeras ton corps de gauche à droite et de droite à gauche. Tic-tac, tic-tac.

• Quand je dirai «Quatre secondes!», tu feras quatre tic-tac avec ton corps en allant de gauche à droite et de droite à gauche. Tic-tac, tic-tac, tic-tac, tic-tac.

• Tu gardes ton corps assez mou pour te détendre pendant le jeu.

• À un moment donné, je vais dire: «Ah! l'horloge est arrêtée.» Alors, le pendule aussi sera arrêté. Tu cesseras de bouger complètement.

• Quand je verrai que tu ne bouges plus du tout, je vais aller remonter ton horloge en dessinant un cercle dans ton dos avec mon index. Comme quand on tourne le bouton d'une vraie horloge mécanique pour la remonter.

• Lorsque ton horloge sera remontée, tu pourras te diriger vers ta prochaine activité (ou remonter une horloge avant d'aller prendre ton rang).

Au jeu!

L'animatrice guide les enfants au fur et à mesure:

• Tu te places debout pour imiter le pendule de l'horloge qui fait tic-tac.

• Deux secondes! Ton pendule va de gauche à droite et de droite à gauche pour faire tic-tac. Une seconde! Tic-tac. Tu te balances de gauche à droite doucement. Quatre secondes! Tu vas de gauche à droite et de droite à gauche quatre fois. Cinq secondes! Tic-tac, tic-tac, tic-tac, tic-tac, tic-tac.

(Nommer encore quelques nombres de secondes.)

• Ah! l'horloge est arrêtée. Ton pendule aussi s'arrête. Tu cesses de bouger. Tu te reposes.

• Quand je vois que tu ne bouges plus, je vais te faire un cercle dans le dos avec mon index.

• Une fois que ton horloge est remontée, tu peux te diriger vers ta prochaine activité (ou aller remonter l'horloge d'un copain ou d'une copine, puis prendre ton rang).

LE TIC-TAC

LA TIRE SAINTE-CATHERINE

Planification

Objectif: Amener l'enfant à la détente par des mouvements d'étirement, d'affaissement et de relâchement.

Activité: Chaque enfant s'étire comme de la tire Sainte-Catherine.

Préparation: Prévoir un environnement suffisamment grand pour que les enfants puissent former un cercle en laissant assez d'espace entre eux pour pouvoir s'étirer à leur guise. Si possible, tamiser l'éclairage.

Description du jeu

L'animatrice explique le jeu aux enfants en mimant les mouvements au besoin:

• Nous allons jouer à la tire Sainte-Catherine.

• Je commence par t'expliquer le jeu. Toi, tu écoutes et tu regardes. Ensuite, nous ferons le jeu ensemble.

• Au début, tout le monde forme un grand cercle.

• Quand je dirai «Tire!», tu t'étireras comme on étire de la tire Sainte-Catherine. Tu allongeras tes bras loin au-dessus de la tête, tu allongeras ton corps vers le haut. Tu pourras te lever sur le bout de tes pieds.

• Quand je dirai «Sainte-Catherine!», tu te replieras comme on replie de la tire. Tu descendras tes pieds, tu descendras tes bras, tu fléchiras tes genoux. Ensuite, tu amèneras ta poitrine sur tes cuisses et tu entoureras tes jambes avec tes bras.

• Quand je dirai les deux mots de suite, «Tire Sainte-Catherine!», cela voudra dire que tu as assez étiré la tire et que tu pourras la déposer sur un plateau. Tu t'allongeras sur le dos et tu te reposeras comme la tire Sainte-Catherine.

• Finalement, quand je verrai que la tire est bien reposée, nous pourrons commencer à la manger. Quand je toucherai le pied de quelqu'un, ça voudra dire que je mange la tire. La personne que j'aurai touchée pourra se lever doucement.

• Une fois qu'elle sera debout, elle pourra manger un morceau de tire, elle aussi. Alors elle touchera doucement le pied de quelqu'un, qui se lèvera à son tour.

Au jeu!

L'animatrice guide les enfants au fur et à mesure:

• On se place en cercle en laissant assez d'espace autour de soi pour pouvoir s'étirer sans toucher à son voisin ou à sa voisine.

• Tire! tu t'étires comme de la tire Sainte-Catherine. Tu allonges tes bras loin au-dessus de ta tête, tu allonges ton corps vers le haut et tu peux te lever sur le bout de tes pieds.

• Sainte-Catherine! Tu te replies comme on replie la tire. Tu descends tes pieds, puis tes bras et tu fléchis les genoux. Maintenant, tu amènes ta poitrine sur tes cuisses et tu entoures tes jambes avec tes bras.

(Redire «Tire!» et «Sainte-Catherine!» deux ou trois fois.)

• Tire Sainte-Catherine! La tire est prête! Tu peux la déposer sur un plateau. Tu t'allonges sur le dos et tu te reposes comme de la tire Sainte-Catherine.

• Maintenant que la tire est bien reposée, je vais commencer à en manger. Si je touche ton pied, cela veut dire que je mange ta tire. Alors, tu te lèves doucement.

• Une fois que tu seras debout, tu pourras manger un morceau de tire si tu le veux. Tu toucheras doucement le pied de quelqu'un, puis tu iras t'asseoir.

LA TIRE SAINTE-CATHERINE

étirer

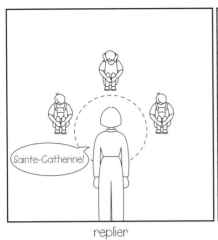

replier

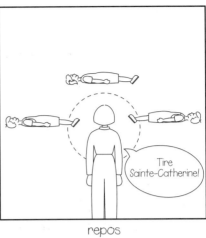

repos

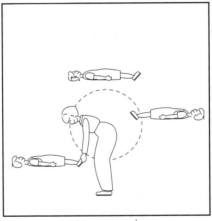

goûter = toucher

L'UNIVERS

Planification

Objectif: Amener l'enfant à se décontracter par des mouvements d'étirement et de relâchement.

Activité: Chaque enfant s'étire dans tous les sens.

Préparation: Prévoir assez d'espace pour que les enfants puissent se pencher sans se toucher. Par exemple, pour un groupe d'une trentaine d'enfants, délimiter un espace ayant environ les dimensions d'un terrain de badminton (13 m x 6 m). Si possible, tamiser l'éclairage.

Description du jeu

L'animatrice explique le jeu aux enfants en mimant les mouvements au besoin:

• Nous allons jouer à l'univers.

• Qu'est-ce que l'univers? (Réponse: l'univers, c'est tout: le ciel, la terre, la mer, le sable, les étoiles, les nuages, les fleurs...)

• Je commence par t'expliquer le jeu. Toi, tu écoutes et tu regardes. Ensuite, nous ferons le jeu ensemble.

• Au début, tu te places debout.

• Quand je dirai «Ciel!», tu t'étireras vers le haut comme pour toucher le ciel. Tu feras la même chose quand je nommerai des éléments qui sont situés au-dessus de nous, par exemple les étoiles, le soleil, les nuages.

• Quand je dirai «Terre!», tu relâcheras ton corps et tes bras vers le bas, tu toucheras à la terre. Tu feras la même chose quand je nommerai des éléments qui sont en bas, comme l'eau, les roches, les fleurs.

• Quand je dirai «Mars!», tu t'étireras vers la droite parce que la planète Mars est à la droite de la Terre. Tu feras la même chose quand je nommerai Jupiter, Saturne, Uranus...

• Quand je dirai «Vénus!» ou «Mercure!», tu t'étireras vers la gauche parce que ces planètes sont à la gauche de la Terre.

• Quand je dirai «Air!», tu te placeras bien droit, la tête droite, les bras de chaque côté du corps.

Au jeu!

L'animatrice guide les enfants au fur et à mesure:

• Tu te places debout. Assure-toi d'avoir assez d'espace pour pouvoir t'étirer sans toucher à ton voisin ou à ta voisine.

• Maintenant, je vais nommer des éléments et tu t'étireras doucement. (Modifier les éléments au besoin.)

- Ciel! Tu t'étires vers le haut comme pour toucher le ciel.

- Terre! Tu laisses tomber ton corps, tes bras vers le bas.

- Étoiles! Tu t'étires haut, très haut, encore plus haut.

- Jupiter! Tu allonges tes bras et ton corps vers la droite.

- Mars! Tu allonges tes bras et ton corps vers la gauche.

- Nuages! Tu t'étires haut, très haut, encore plus haut.

- Fleurs! Tu relâches ton corps et tes bras vers le bas.

- Air! Tu te places bien droit et tu te reposes.

L'UNIVERS

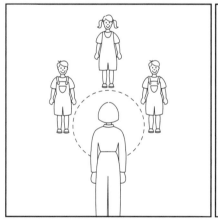

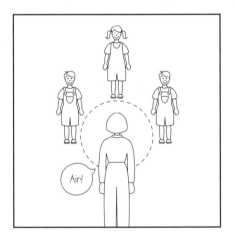

Remarque

Les mots peuvent être dits à différents rythmes.

LA VAGUE

Planification

Objectif: Amener les enfants à un état de quiétude par des mouvements de balancement.

Activité: Chaque enfant s'imagine à la mer et imite une vague.

Préparation: Prévoir assez d'espace pour que les enfants puissent bouger sans toucher à leur voisin ni à leur voisine. Par exemple, pour un groupe d'une trentaine d'enfants, délimiter un espace ayant environ les dimensions d'un terrain de volley-ball (18 m x 9 m). Si possible, tamiser l'éclairage.

Description du jeu

L'animatrice explique le jeu aux enfants en mimant les mouvements au besoin:

- Nous allons jouer à la vague.

- Je commence par t'expliquer le jeu. Toi, tu écoutes et tu regardes. Ensuite, nous ferons le jeu ensemble.

- Nous sommes à la mer et chacun représente une vague. Cela fait beaucoup de vagues! Pour imiter ta vague, tu t'assois au sol, les jambes allongées et tu fais dérouler tes fesses de gauche à droite et de droite à gauche. Tes jambes et ton corps suivent le mouvement et penchent dans la même direction que ton fessier.

• Tes bras aussi font partie de la vague. Lorsque tu penches vers la gauche, ton bras droit se soulève, puis il redescend à mesure que tu reviens au milieu. Quand tu déroules ton corps vers la droite, c'est ton bras gauche qui se lève pour t'aider à son tour à faire le mouvement. (Demander aux enfants de faire les mouvements une ou deux fois pour qu'ils comprennent bien.)

• Quand je dirai qu'il y a de grosses vagues, tu te balanceras bien fort. Lorsque je dirai qu'il y a de petites vagues, tu te balanceras tout doucement.

• À un moment donné, je dirai «Il n'y a plus de vague!». Alors, la mer sera calme, calme. Comme tu es une vague de la mer, tu deviendras calme, toi aussi. Tu cesseras de bouger et te reposeras en te faisant chauffer au soleil. Tu pourras t'allonger pour te reposer encore mieux. Tu te laisseras flotter comme une petite vague sur l'eau.

• Quand je verrai que toutes les vagues sont tranquilles et détendues, je mentionnerai que le jeu est terminé. Tu pourras alors te diriger vers ta prochaine activité.

Au jeu!

L'animatrice guide les enfants au fur et à mesure:

• Tu te choisis une place dans la mer et tu t'assois les jambes allongées. Assure-toi de pouvoir allonger tes bras de chaque côté sans toucher à ton voisin ni à ta voisine. (Laisser quelques secondes aux enfants pour s'installer.)

• Maintenant, la mer bouge doucement. Elle fait de petites vagues. Tu te balances lentement de gauche à droite et de droite à gauche en exécutant de petits déroulements du fessier et en montant les bras jusqu'à la hauteur des épaules.

• Le vent s'est levé et la mer fait des vagues moyennes. Tu te balances en effectuant des mouvements un peu plus énergiques.

• Soudain, le vent se met à souffler plus fort. Les vagues grossissent. Tu bouges encore plus énergiquement de droite à gauche et de gauche à droite. Tu soulèves tes bras plus haut.

• Maintenant, c'est la tempête, les vagues sont très grosses! Tu te balances en faisant des mouvements de grande amplitude. Ton fessier tourne complètement. Tes bras se soulèvent jusqu'au-dessus de ta tête.

• Enfin! Le temps se calme. Les vagues aussi. Le soleil revient.

• Il n'y a plus de vague! La mer est parfaitement calme. Tu cesses de bouger. Tu deviens calme, toi aussi. Tu peux t'allonger et te faire chauffer au soleil. Tu te reposes calmement. Tu te laisses flotter doucement.

• Maintenant, chaque vague est bien détendue et sans bouger. (Laisser les enfants ainsi pendant quelques secondes.)

• Le jeu est terminé. Tu peux te diriger vers ta prochaine activité.

LA VAGUE

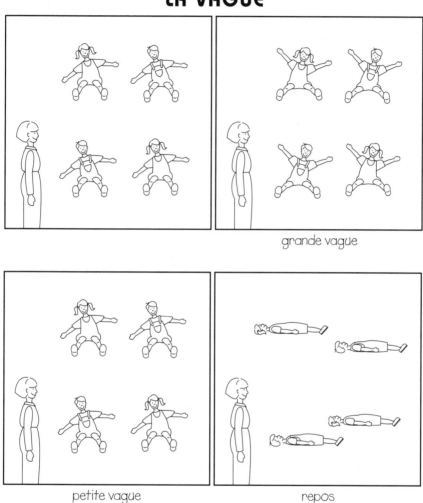

grande vague

petite vague   repos

Remarque

Les enfants peuvent imiter le bruit des vagues et du vent avec leur bouche.

LA VITESSE

Planification

Objectif: Amener les enfants à un état de repos par des mouvements très rapides et d'autres très lents.

Activité: Chaque enfant bouge une partie de son corps à différentes vitesses.

Préparation: Prévoir assez d'espace pour que les enfants puissent bouger dans tous les sens sans toucher à leur voisin ni à leur voisine. Par exemple, pour un groupe d'une trentaine d'enfants, délimiter un espace ayant environ les dimensions d'un terrain de badminton (13 m x 6 m). Si possible, tamiser l'éclairage.

Description du jeu

L'animatrice explique le jeu aux enfants en mimant les mouvements au besoin:

- Nous allons jouer à la vitesse.

- Je commence par t'expliquer le jeu. Toi, tu écoutes et tu regardes. Ensuite, nous ferons le jeu ensemble.

- Nomme-moi différentes vitesses. (Réponses: 100 km/h, lente, rapide, 2 km/h, etc.)

- Je vais nommer une partie de ton corps et une vitesse, puis tu vas faire bouger cette partie de ton corps à la vitesse que j'ai mentionnée.

- Attention! Tu dois rester à ta place durant tout le jeu.

- Voici un exemple: ta main gauche bouge très, très rapidement. D'autres exemples: tes yeux vont lentement; ton pied droit atteint 100 km/h!

- Quand je vais dire que ton corps est à 0 km/h, tu cesseras complètement de bouger. Je te laisserai quelques instants pour te reposer, pour sentir ton corps se détendre.

- Je vais t'indiquer quand tu pourras commencer à bouger tranquillement les doigts, puis les orteils, les bras et les jambes. Ensuite, tu te lèveras doucement pour te diriger vers ta prochaine activité.

Au jeu!

L'animatrice guide les enfants au fur et à mesure:

- Tu t'installes (assis, debout ou allongé au sol) à un endroit où tu es bien.

- Ta main gauche va à 50 km/h. Tu bouges ta main moyennement vite.

- Ta main prend de la vitesse: elle atteint maintenant 100 km/h! Tu la bouges deux fois plus vite. (Laisser les enfants bouger pendant quelques secondes.) Ta main se calme peu à peu, puis elle s'arrête complètement.

- Ce sont tes jambes qui commencent à bouger, mais elles sont au ralenti: elles vont à peine à 1 km/h! Tu bouges tes jambes très, très lentement.

- Vite, elles prennent de la vitesse et dépassent les 100 km/h.

- (Nommer encore trois ou quatre parties du corps et des vitesses différentes.)

- Finalement, tout ton corps revient à 0 km/h. Tu ne bouges plus. Tu deviens parfaitement immobile.

- Je te laisse quelques instants pour te reposer, pour sentir ton corps se détendre.

- Maintenant, tu peux commencer à bouger tranquillement les doigts… puis les orteils… les bras… les jambes…

- Tu te lèves doucement pour te diriger vers ta prochaine activité.

Remarque

Autres exemples d'associations: les yeux bougent doucement; les épaules se soulèvent et redescendent à 20 km/h (donc plutôt lentement); les doigts vont vite, vite, vite; la bouche s'agite très, très vite; les joues sont au ralenti: 2 km/h!, etc.

LA VITESSE

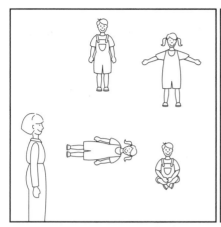

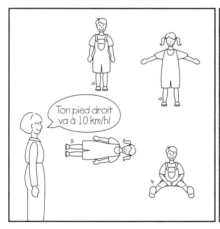

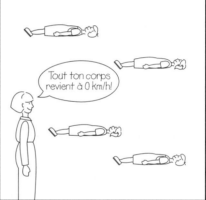

LE ZOO

Planification

Objectif: Amener l'enfant à un état de relaxation par des mouvements de contraction et un relâchement.

Activité: Chaque enfant fait semblant de sortir des animaux de leur cage et de les mettre en liberté dans le zoo.

Préparation: Prévoir assez d'espace pour que les enfants, placés en cercle, puissent bouger et s'allonger sans toucher au voisin ou à la voisine. Si possible, tracer un cercle pour délimiter le zoo et tamiser l'éclairage.

Description du jeu

L'animatrice explique le jeu aux enfants en mimant les mouvements au besoin:

• Nous allons jouer au zoo.

• Au début, tout le monde forme un cercle. L'intérieur du cercle, c'est le zoo. Autour du zoo, il y a des cages avec des animaux. Quelles sortes d'animaux trouve-t-on au zoo? (Réponses: des girafes, des hippopotames, des singes, des zèbres, etc.)

• Quand je nommerai un animal, tu le sortiras de la cage. Mais attention! La porte de la cage est en haut (indiquer environ deux mètres). Si l'animal est lourd, tu devras forcer bien fort: tu le monteras jusqu'au bout de tes bras, puis tu le descendras dans le zoo. Ensuite, tu laisseras tomber tes bras et ton corps pour te reposer.

- Même les petits animaux doivent sortir par la porte d'en haut.

- Quand je dirai «Éléphant», ce sera le dernier animal que tu feras entrer dans le zoo. Ensuite, après tout cet effort, tu seras fatigué et tu te coucheras au sol pour te reposer.

- Quand je verrai que tu es bien reposé, je te toucherai le pied juste un peu pour te donner un peu d'énergie. Tu pourras te lever doucement, car tu n'auras pas beaucoup d'énergie, et tu pourras à ton tour toucher lentement le pied de quelqu'un.

- Ensuite, tu reviendras t'asseoir.

Au jeu!

L'animatrice guide les enfants au fur et à mesure:

- On se place en cercle autour du zoo. Assure-toi d'avoir assez de place pour bouger sans toucher à ton voisin ou à ta voisine.

- Devant nous, juste à l'extérieur du zoo, il y a des cages d'animaux.

- Singe! Tu le prends et tu le sors de la cage par la porte d'en haut. (Indiquer la hauteur.)

- Cet animal est lourd, tu dois forcer très fort, le monter jusqu'au bout de tes bras, puis le descendre dans le zoo. Ensuite, tu laisses tomber tes bras et ton corps pour te reposer.

(Nommer plusieurs animaux en laissant suffisamment de temps pour que les enfants fassent les mouvements sans se presser.)

• Éléphant! C'est le dernier animal. Tu le prends en forçant très fort et tu le déposes dans le zoo.

• Maintenant que tu as bien forcé, tu n'as plus d'énergie. Tu t'allonges au sol et tu te reposes.

• Quand je vois que tu es bien reposé, je te touche le pied doucement pour te donner un peu d'énergie. Tu peux te lever lentement, car tu n'as pas beaucoup d'énergie, et tu peux à ton tour toucher doucement le pied de quelqu'un.

• Ensuite, tu reviens t'asseoir et tu continues à te reposer jusqu'à ce que je t'indique que c'est fini.

LE ZOO

sortir = pencher

cage haute = à bout de bras

déposer = pencher

forcer

relâcher

Appendice

UNE SÉANCE DE RELAXATION SELON LA MÉTHODE DE JACOBSON

Comme je le mentionnais précédemment, les enfants apprennent par l'exemple. La meilleure façon de leur enseigner des jeux de relaxation, c'est d'être soi-même détendu. Pour ce faire, je vous propose donc une des techniques de relaxation les plus connues: la méthode de Jacobson. Vous trouverez dans les lignes qui suivent une adaptation personnelle de cette méthode[3].

Une séance de relaxation de type Jacobson consiste en différentes séries de contractions et de relâchement. Celle qui est décrite ci-dessous demande environ vingt minutes.

Pour apprendre à se relaxer, il faut y mettre le temps et faire preuve de persévérance. Je vous suggère d'effectuer un entraînement régulier, c'est-à-dire cinq fois par semaine à différentes journées, si vous désirez vraiment bénéficier de ces séances à long terme. Souvenez-vous

---

3. Pour plus de renseignements sur la méthode de Jacobson, consultez les livres suivants: *Les méthodes de relaxation, Techniques de relaxation* et *La santé par la relaxation* (voir bibliographie).

toutefois que chaque séance de relaxation amène des bienfaits immédiats.

Après deux ou trois semaines, vous ressentirez déjà les bienfaits dans vos activités quotidiennes. Vous pourrez alors passer à une séance abrégée en rassemblant les groupes musculaires.

Une fois que vous serez à l'aise avec cette méthode modifiée, vous pourrez passer à une séance encore plus abrégée, soit d'une durée de cinq minutes environ, cinq à sept fois par semaine, durant deux ou trois semaines.

Finalement, vous en arriverez à vous relaxer après quelques respirations, tout simplement...

À chacune des séances que vous vous offrirez, prenez le temps de vous installer confortablement. Choisissez un endroit où vous ne serez pas dérangé pendant toute la période de détente. S'il le faut, coupez la sonnerie du téléphone et avertissez les membres de votre famille de ne pas entrer dans la pièce où vous êtes.

Voici la position idéale: allongez-vous sur le dos au sol. Autant que possible, ne vous couchez pas sur le lit ou sur un canapé, ces surfaces étant trop molles. Vous pouvez toutefois vous étendre sur une couverture ou un matelas d'exercice pour couper le froid. Vous pouvez aussi placer une couverture sur vous pour vous garder bien au chaud. À l'aide d'un oreiller, élevez vos jambes quelque peu, soit d'environ 10 à 15 cm, de façon que vos genoux soient légèrement fléchis. Le fait de surélever les jambes permet au bas du dos d'être bien relâché. Placez vos bras de chaque côté de votre corps. Enfin, détachez ceintures et boutons afin d'être à l'aise.

Un dernier point avant de commencer: vous trouverez peut-être utile d'enregistrer ce texte sur magnétophone et de suivre les consignes au fur et à mesure que la cassette se déroulera.

Voici la méthode:

Expirez... prenez une grande inspiration... laissez l'air entrer dans vos poumons et... expirez... laissez sortir l'air... laissez l'air s'échapper. Durant la respiration, expirez par la bouche... et inspirez par le nez... respirez... régulièrement et calmement.

En effectuant cette technique de relaxation, portez votre attention sur votre respiration. Expirez... par la bouche... l'air sort du corps, le ventre devient plat... ou creux. Inspirez... par le nez... l'air entre dans le corps, le ventre se gonfle. Expirez... inspirez... normalement.

Maintenant, concentrez votre attention sur votre main gauche. Fermez les doigts pour former un poing... serrez le poing graduellement... plus fort... plus fort encore... prenez conscience de la tension qui s'accumule dans les muscles de votre main gauche... constatez la raideur... puis, lentement... relâchez cette tension... allongez lentement les doigts... sentez les muscles de votre main gauche se détendre. Comparez votre main gauche à votre main droite. Remarquez le poids, la température... peut-être ressentez-vous des picotements. Observez les différentes sensations.

Amenez maintenant votre attention sur votre main droite. Fermez progressivement les doigts pour former un poing... serrez le poing très fort, plus fort... sentez la tension dans votre main.... tenez bien fort... sentez la tension dans le bras aussi... lentement... relâchez votre main droite... ouvrez un à un les doigts... sentez les muscles se détendre... Observez les sensations de votre main droite... la chaleur ou la fraîcheur... la pesanteur ou la légèreté... Prenez quelques secondes pour sentir la détente... dans vos deux mains.

Portez maintenant votre concentration sur votre jambe gauche. Seulement sur votre jambe gauche... Pointez le pied... vers le sol... pointez encore plus loin... mettez plein de force dans votre jambe... dans votre cuisse... sentez la force dans votre pied... dans votre jambe... la force dans votre cuisse... tenez toute cette force... sentez que c'est dur... dur, dur... puis, lentement... relâchez... laissez tomber votre pied... détendez les muscles de votre cuisse... détendez les muscles de votre jambe... fixez votre attention sur les sensations de détente de votre pied... laissez-le tomber... laissez-le mou, mou... sentez votre jambe molle, molle... votre cuisse toute relaxée... Comparez votre jambe gauche à votre jambe droite... sentez la différence... la jambe gauche est complètement relaxée... comparez la température... le poids...

Portez maintenant votre attention sur votre jambe droite. Pointez le pied droit vers le sol... pointez encore plus loin... sentez la force qui monte dans la jambe droite... mettez-y encore plus de force... pointez encore le pied... et mettez de la force dans la cuisse droite... sentez votre cuisse très dure... plus dure... dure, dure, dure... puis, relâchez... laissez tomber votre pied... décontractez les muscles de votre jambe droite... détendez votre cuisse... sentez les muscles de votre pied... libre... sentez votre jambe libérée... observez la détente dans toute votre cuisse... laissez tomber le pied... prenez quelques secondes pour sentir la relaxation dans votre jambe droite ... puis, comparez les muscles de votre jambe droite aux muscles de votre jambe gauche... sentez la détente... portez attention à la température... à la pesanteur... à la détente...

Expirez... laissez l'air sortir... inspirez... laissez l'air entrer dans votre corps... puis, respirez calmement et normalement...

Fixez maintenant votre attention au niveau des fessiers... rapprochez les fesses l'une de l'autre en serrant fort... les hanches vont lever un peu du sol, c'est normal... continuez de serrer très fort les fesses l'une contre l'autre... sentez toute la tension dans cette région... c'est raide, dur et raide, raide... puis, relâchez... expirez... sentez vos muscles des fessiers se détendre... sentez également ceux du dos...

Dirigez maintenant votre attention au niveau des épaules... haussez les épaules vers les oreilles... raidissez les muscles des épaules... rendez-les tendues... continuez de garder les épaules hautes... et tentez de les approcher l'une de l'autre... sentez la tension dans les muscles de vos épaules... forcez... sentez la tension dans les muscles du haut de votre dos... c'est dur, dur, dur... puis, relâchez... laissez tomber les épaules... sentez vos muscles se décontracter... observez la température au niveau des épaules... chaleur ou fraîcheur... laissez tomber complètement vos épaules au sol... sentez vos muscles se relâcher...

Respirez normalement et calmement.

Amenez maintenant votre attention au niveau des abdominaux... rentrez le ventre par en dedans... serrez les muscles des abdominaux... comme s'ils étaient tous au nombril... serrez fort... creusez le ventre... et relâchez... sentez les muscles de vos abdominaux se relâcher... sentez également les muscles du bas de votre dos se détendre doucement...

Sentez votre corps mou, mou... portez votre attention aux muscles de vos bras qui sont détendus... les muscles de vos épaules sont relâchés... vos abdominaux sont relâchés... les muscles de vos jambes sont détendus... décontractés...

Amenez maintenant votre attention au niveau de votre tête... poussez votre tête légèrement contre le sol... raidissez les muscles du cou et des épaules... tout est raide... le cou... la tête... la mâchoire... plus raide... puis, relâchez... laissez les muscles se détendre... sentez la relaxation au niveau du cou... au niveau de la tête... tout est détendu...

Continuez toujours à respirer normalement et calmement. Il nous reste trois petits groupes de muscles à détendre. Ceux du front, ceux des yeux et ceux du bas du visage: les joues et la mâchoire inférieure.

Allons-y avec le front... gardez les yeux fermés... et levez les sourcils le plus haut possible... sentez la tension au niveau des muscles de votre front... levez les sourcils encore plus haut... et relâchez... sentez les muscles de votre front se détendre... toutes les lignes qui étaient sur votre front tombent... votre front est détendu...

Fixez maintenant votre attention sur vos yeux... fermez tout simplement les yeux très fort... un peu plus fort... et relâchez... sentez la détente autour de vos yeux... sentez le repos...

Amenez maintenant votre attention sur les muscles du bas de votre visage... faites un sourire exagéré... comme si vous vouliez que vos lèvres s'accrochent à vos oreilles... sentez la tension dans vos joues... sentez la tension au niveau de votre mâchoire inférieure... souriez... relâchez... laissez tomber votre mâchoire... détendez les muscles de vos joues... votre visage est complètement détendu... relaxé...

Nous allons maintenant atteindre un niveau de relaxation plus profond. Vous allez détendre un peu plus les muscles de chaque région de votre corps... seulement en les nommant... et en portant attention aux sensations de détente...

Laissez votre attention se diriger vers vos oreilles... appréciez la détente de vos oreilles... continuez de les relâcher... sentez la relaxation de vos pieds... de vos jambes... sentez la détente au niveau de vos cuisses... au niveau de vos fessiers... tout est libéré... appréciez la décontraction au niveau de vos abdominaux... la décontraction au niveau de vos épaules... de votre dos... maintenant, ressentez le relâchement de vos bras... la détente jusque dans vos doigts... percevez la détente au niveau de votre cou... sentez le repos de vos yeux... sentez la libération, le relâchement des muscles de votre front...

Votre corps est complètement détendu... profitez des quelques instants suivants pour sentir la relaxation en vous... respirez normalement... sentez la chaleur ou la fraîcheur dans votre corps... peut-être même des picotements... laissez tout le sol porter votre corps... relaxez-vous...

Si des images ou des idées viennent dans votre tête, laissez-les passer... laissez-les tout simplement partir... et ramenez votre attention sur votre respiration...

Maintenant, vous allez commencer à réanimer votre corps très lentement... commencez par toucher doucement du pouce chaque doigt de votre main gauche... bougez un peu tous les doigts et la main gauche... dirigez maintenant votre attention sur votre main droite... et faites la même chose... touchez lentement du pouce les doigts... bougez doucement les doigts et la main droite... remuez tranquillement le bras gauche... puis le bras droit... maintenant, concentrez-vous sur vos jambes... bougez un peu les orteils du pied gauche... puis ceux du pied droit... agitez graduellement la jambe et la cuisse gauche... agitez graduellement la jambe et la cuisse droite... remuez les épaules... le cou... bougez tout le corps progressivement... étirez-vous... les bras au-dessus de la tête... les pieds pointés... tout en ouvrant doucement les yeux... finalement... pour vous relever... roulez lentement sur le côté... prenez appui sur les mains et sur les genoux... tout en gardant la tête penchée... à la toute fin, relevez la tête... bâillez si vous en avez envie... relâchez...

BIBLIOGRAPHIE

BENET, Farida. *Relaxations guidées pour les enfants*, Suisse, Éditions Recto Verseau, 1991.

BERGE, Yvonne. *Vivre son corps par la pédagogie du mouvement*, Paris, Éditions du Seuil, 1975.

CHERRY, Clare. *Crée le calme en toi. Guide de relaxation à l'école*, Montréal, Éditions du Renouveau pédagogique, 1991.

CREVIER, Robert et Dorothée BÉRUBÉ. *Le plaisir de jouer. Jeux coopératifs de groupe*, Rivière-du-Loup, Institut du plein air québécois, 1987.

DAVROU, Yves. *Comment relaxer vos enfants pour les préparer à leur avenir*, Paris, Éditions Retz, 1985.

DODSON, Fitzhugh. *Tout se joue avant six ans*, Biarritz, Éditions Robert Lafont, 1978.

DURIVAGE, Johanne. *Éducation et psychomotricité*, Chicoutimi (Canada), Gaëtan Morin éditeur, 1987.

GAGNÉ, Géraldine. *Apprendre à mieux respirer. Guide des 5 exercices*, Montréal, Éditions Édimag, 1994.

GEISSMANN, P. et R. DURAND DE BOUSINGEN. *Les méthodes de relaxation*, Bruxelles, Éditions Pierre Mardaga, 1968.

Gouvernement du Québec. *Guide pédagogique préscolaire. Éveil aux langages artistiques à la maternelle*, Québec, Gouvernement du Québec, 1980.

HÉROUX, René, Marie MARCOUX, Marc MORIN et Marthe TÉTREAULT. *Éducation physique pour les enfants d'âge préscolaire*, Québec, Commission scolaire de Trois-Rivières, 1992.

HERZOG, Marie-Hélène. *Psychomotricité, relaxation et surdité*, Paris, Éditions Masson, 1995.

KAGOTANI, Tsuguo. *Respirez mieux. Les techniques pour débloquer vos angoisses et vous décontracter*, France, Éditions M. A., 1989.

KOHLER, Mariane. *Technique de la relaxation*, Paris, Éditions Presses Pocket, 1977.

Le guide des remèdes maison, États-Unis, Publications internationales, 1993.

MCLEAN, Éric. *Guide thématique de jeux et d'activités physiques*, Montréal, Éditions Vézina, env. 1988.

Revue *Réunion*, automne 1998.

TANNER, Ogden. *Le stress*, États-Unis, Éditions Time-Life International, 1977.

TURGEON, Madeleine. *Découvrons la réflexologie*, Boucherville (Québec), Éditions de Mortagne, 1980.

Université de Sherbrooke. *Un petit mot sans maux. Stress, alimentation, condition physique*, Sherbrooke, Université de Sherbrooke, Service de santé, Bibliothèque nationale du Québec, 1980.

WINTREBERT, Henry. *L'enfant et la relaxation*, France, Éditions L'Esprit du Temps, 1995 (collection «Relaxation, actualité et innovation», sous la direction de Jean Marvaud).

TABLE DES MATIÈRES

—